MAURICE LEBLANC

Arsène Lupin

A Agulha Oca

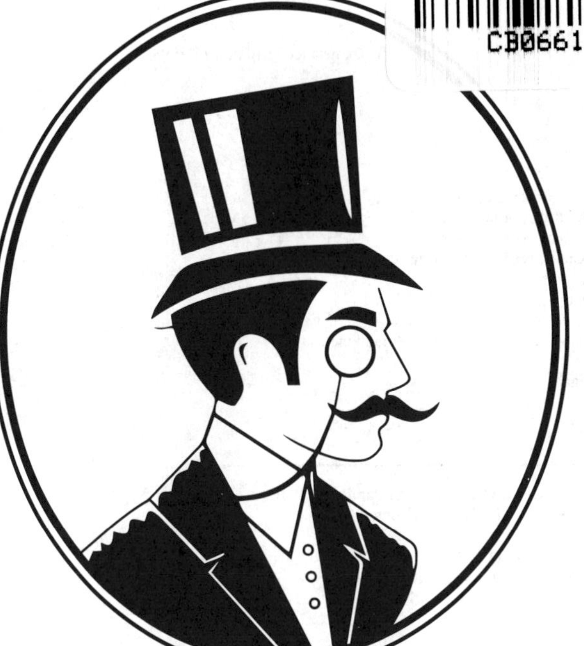

Camelot
EDITORA

CONHEÇA NOSSO LIVROS
ACESSANDO AQUI!

Copyright desta tradução © IBC - Instituto Brasileiro De Cultura, 2021

Título original: L'Aiguille creuse
Reservados todos os direitos desta tradução e produção, pela lei 9.610 de 19.2.1998.

2ª Impressão 2023

Presidente: Paulo Roberto Houch
MTB 0083982/SP

Coordenação Editorial: Priscilla Sipans
Coordenação de Arte: Rubens Martim (capa)
Produção Editorial: Eliana S. Nogueira
Tradução e preparação de texto: Fabio Kataoka
Diagramação: Rogério Pires
Revisão: Cláudia Rajão

Vendas: Tel.: (11) 3393-7727 (comercial2@editoraonline.com.br)

Foi feito o depósito legal.
Impresso na China

Dados Internacionais de Catalogação na Publicação (CIP)
(eDOC BRASIL, Belo Horizonte/MG)

L445a Leblanc, Maurice, 1864-1941.
　　　　Arsène Lupin: a agulha oca / Maurice Leblanc. –
　　　　Barueri, SP: Camelot Editora, 2021.
　　　　160 p. : 15,5 x 23 cm

　　　　ISBN 978-65-87817-17-0

　　　　1. Ficção francesa. 2. Literatura francesa – Romance. I. Título.
　　　　　　　　　　　　　　　　　　　　　　　　　　　CDD 843

Elaborado por Maurício Amormino Júnior – CRB6/2422

IBC — Instituto Brasileiro de Cultura LTDA
CNPJ 04.207.648/0001-94
Avenida Juruá, 762 — Alphaville Industrial
CEP. 06455-010 — Barueri/SP
www.editoraonline.com.br

SUMÁRIO

Introdução — 5

Capítulo 1
O tiro — 7

Capítulo 2
Isidore Beautrelet, estudante de retórica — 23

Capítulo 3
O cadáver — 40

Capítulo 4
Cara a cara — 57

Capítulo 5
Na pista — 75

Capítulo 6
Um segredo histórico — 87

Capítulo 7
O Tratado da Agulha — 100

Capítulo 8
De César a Lupin — 115

Capítulo 9
Abre-te, Sésamo! — 127

Capítulo 10
O tesouro dos reis da França — 141

INTRODUÇÃO

A novidade deste livro de Maurice Leblanc é Isidore Beautrelet, um rapaz de 17 anos, estudante de retórica, que compete em inteligência e astúcia com Arsène Lupin, o ladrão de casaca.

Tudo começa com o roubo de valiosos objetos em um castelo francês. Surge um intrincado enigma, que envolve figuras geométricas e números, que conduzem a um segredo histórico, o *Segredo da Agulha Oca*. Segue-se um quebra-cabeças com reviravoltas e surpresas, bem no estilo de Maurice Leblanc quando se trata de Arsène Lupin.

Em muitas reviravoltas, que envolvem também o inspetor Ganimard e Herlock Sholmes, Lupin nos prende em todos os capítulos com sua sagacidade e reserva um desfecho incrível para a história nas últimas linhas deste episódio, que chama para a próxima aventura.

Capítulo 1
O TIRO

Raymonde escutou uma ou duas vezes o ruído. Era claro o suficiente para ser capaz de distinguir de todos os ruídos confusos que formavam o grande silêncio noturno. Ao mesmo tempo era tão fraco que ele não sabia dizer se o som estava próximo ou não. Se tinha saído de entre as paredes do vasto castelo, ou lá fora, entre os recantos escuros do parque.

Ela se levantou devagar. A janela estava entreaberta, ela empurrou as venezianas para o lado. O luar repousava sobre uma paisagem calma de gramados e bosques onde as ruínas espalhadas da antiga abadia se destacavam em trágicas silhuetas, colunas truncadas, ogivas incompletas, contornos de pórticos e fragmentos de arcadas. Uma brisa flutuava sobre as coisas, deslizando pelos galhos nus e imóveis das árvores, mas agitando as pequenas folhas das moitas.

Súbito, o mesmo ruído estava à sua esquerda e abaixo do andar que habitava, nos salões da ala ocidental do castelo.

Embora forte e corajosa, a jovem sentiu a angústia do medo. Vestiu o robe e pegou uma caixa de fósforos.

— Raymonde… Raymonde…

Uma voz, abafada como um sopro, chamava do quarto vizinho, cuja porta não havia sido fechada. Ela caminhava[7] tateando para lá, quando Suzanne, sua prima, saiu daquele quarto e atirou-se em seus braços.

— Raymonde, é você? Você ouviu?…

— Sim… Você não estava dormindo?

— Acho que foi o cachorro que me acordou… faz tempo… mas ele não está mais latindo. Que horas são?

— Quatro, mais ou menos.

— Escute... Há alguém andando no salão.
— Não tem perigo. Seu pai está lá, Suzanne.
— Mas é perigoso para ele. Papai dorme ao lado da saleta.
— Sr. Daval também está lá...
— Do outro lado do castelo... como é que você quer que ele ouça?

Ambas estavam indecisas, sem saber o que fazer. Chamar? Pedir socorro? Não ousavam, pois até mesmo o som de suas vozes lhes parecia amedrontador. Suzanne, que se aproximara da janela, logo abafou um grito:

— Olhe... um homem perto do lago!

Um vulto se afastava em passos rápidos. Carregava debaixo do braço um objeto bastante grande que elas não puderam distinguir e que, batendo-lhe nas pernas, dificultava o andar. Elas o viram passar perto da antiga capela e dirigir-se para a portinhola do muro. Ela devia estar aberta, pois o homem desapareceu sem que se ouvisse o rangido habitual das dobradiças.

— Ele vinha do salão — murmurou Suzanne.
— Não, a escada do vestíbulo o teria conduzido bem mais para a esquerda... A não ser que...

Uma ideia ocorreu para as duas ao mesmo tempo. Debruçaram-se. Abaixo da janela, uma escada erguida contra a fachada se apoiava à parede do primeiro andar. Uma luz iluminou o balcão de pedra. Outro homem, carregando também alguma coisa, pulou o balcão e deixou-se escorregar escada abaixo, fugindo pelo mesmo caminho. Suzanne, apavorada, sem forças, caiu de joelhos, balbuciando:

— Vamos gritar! Pedir socorro!...
— E quem virá? Seu pai... E se houver outros homens e o atacarem?
— Poderíamos chamar os criados. Sua campainha comunica com o andar deles.
— Sim... sim... talvez seja uma boa ideia. Tomara que cheguem a tempo.

Raymonde procurou o botão da campainha perto da cama e apertou. Um timbre metálico e alto vibrou, e elas tiveram a impressão de que, no andar de baixo, o som devia ter sido ouvido nitidamente.

Esperaram. O silêncio tornava-se angustiante, e nem mesmo a brisa agitava mais as folhas dos arbustos.

— Estou com medo... estou com medo... — repetia Suzanne.

De repente, abaixo delas, o barulho de uma luta. Um barulho, móveis tombados, exclamações e... de modo horrível, sinistro, um gemido rouco, o estertor de alguém sendo estrangulado.

Raymonde correu para a porta. Suzanne agarrou-se desesperadamente a seu braço.

— Não... não me deixe... tenho medo...

Raymonde empurrou-a e correu para o corredor, logo seguida por Suzanne, que cambaleava de uma parede a outra aos gritos. Raymonde desceu a escada às pressas, lançou-se em direção à grande porta do salão e parou estarrecida, enquanto Suzanne se detinha a seu lado. Diante delas estava um homem com uma lanterna na mão. Apontou-a para as moças, cegando-as com o facho de luz. Olhou-as longamente e, sem pressa, tranquilamente, pegou o boné, apanhou um pedaço de papel e dois fiapos de palha, apagou alguns vestígios sobre o tapete, aproximou-se do balcão, voltou-se para as moças, fez uma reverência e desapareceu.

Suzanne foi a primeira a correr para o quarto de vestir que separava o grande salão do quarto de seu pai. Mas, logo na entrada, um quadro horrível a paralisou. À luz da lua viam-se dois corpos, caídos um ao lado do outro.

— Pai!... Papai!... É você?... O que houve? — gritou fora de si.

Depois de alguns instantes o Conde de Gesvres se mexeu. Com voz alquebrada, murmurou:

— Não se assuste... não estou ferido... E Daval?... Está vivo?... A faca... A faca...

Bem nessa hora dois criados chegaram com velas. Raymonde curvou-se sobre o outro corpo e reconheceu Jean Daval, secretário e homem de confiança do conde. Seu rosto já tinha a palidez da morte.

Raymonde então se ergueu, voltou ao salão, tirou de uma panóplia que havia na parede uma espingarda que sabia estar carregada e foi para o balcão. Não fazia mais de cinquenta ou sessenta segundos que o estranho havia colocado o pé no primeiro degrau da escada. Logo, ele não poderia estar longe, ainda mais que tivera a precaução de tirar a escada, para evitar que o perseguissem. Raymonde logo o avistou junto às ruínas do antigo claustro. Levantou a arma, fez pontaria e atirou. O homem tombou.

— Perfeito! Perfeito! — gritou um dos criados.

— Esse já agarramos. Vou até lá.

— Não, Victor, ele está se levantando. Desça a escadaria e corra para a portinhola. Ele pode escapar por lá.

Victor se apressou, mas antes que chegassem ao parque o homem caiu novamente. Raymonde chamou o outro criado.

— Albert, você está vendo?... Lá perto da grande arcada?

— Sim, ele está se arrastando na grama. Está perdido.

— Fique vigiando daqui.

— Não tem jeito de escapar. À direita das ruínas é campo aberto.

— E Victor está guardando a portinhola, à esquerda — disse ela, empunhando de novo a espingarda.

— Não vá lá, senhorita!

— Vou, sim — insistiu ela com voz decidida e gestos bruscos. — Deixe-me. Ainda me resta um cartucho. Se ele se mover...

Um instante depois, Albert a viu dirigindo-se para as ruínas. Gritou da janela:

— Ele está se arrastando para trás da arcada!... Não o vejo mais!... Cuidado, senhorita!...

Raymonde fez a volta ao claustro para impedir a retirada do homem e Albert a perdeu de vista. Passados alguns minutos, não a vendo de volta, inquietou-se. Continuando a vigiar as ruínas, procurou então descer, não pela escada do castelo, mas pela utilizada pelos ladrões. Quando conseguiu, desceu rapidamente e correu direto para o local onde o homem fora visto pela última vez. A trinta passos de lá encontrou Raymonde, que procurava Victor.

— Que houve? — perguntou Albert. — Não consigo encontrá-lo — respondeu Victor.

— E a portinhola?

— Estou vindo de lá, olhe aqui a chave.

— Mas não é possível!...

— Ora, não se preocupe. Daqui a dez minutos ele estará em nossas mãos.

O granjeiro e seu filho, acordados pelo tiro, chegavam de sua casa, que se erguia ao longe, à direita, mas dentro da área murada do castelo. Também eles não haviam encontrado ninguém no caminho.

— Diabo! — exclamou Albert. — O miserável não pode ter saído das ruínas. Vamos desencavá-lo do fundo de algum buraco.

Organizaram uma minuciosa batida, moita por moita, afastando pesadas cortinas de hera que se enrolavam em torno das colunas. Certificaram-se de que a capela estava trancada e de que nenhum de seus vitrais fora quebrado. Contornaram o claustro, visitaram todos os cantos e recantos do parque, mas tudo em vão.

Uma única descoberta: no local onde o homem caíra ferido por Raymonde encontraram um boné de cocheiro, de couro amarelado. Fora isso, nada.

Às seis da manhã, a polícia de Ouville-la-Rivicre já havia sido informada e seguia para o local, depois de enviar, através de portador, uma pequena nota ao tribunal de Dieppe, relatando as circunstâncias do crime e a iminente captura do principal culpado, além da descoberta de seu boné e do punhal com que perpetrou o crime.

Às dez horas, duas carruagens desciam a leve encosta que dava acesso ao castelo. Uma delas, venerável e antiga caleça, levava o promotor substituto e o juiz de instrução, acompanhado do escrivão. A outra, modesto cabriolé, acomodava dois jovens repórteres, representando o *Journal de Rouen* e um grande jornal parisiense.

O velho castelo surgiu. Antiga morada abacial dos priores de Ambrumésy, mutilado pela Revolução, restaurado pelo Conde de Gesvres, a quem pertencia há vinte anos, compunha-se de um corpo principal encimado por uma torre, na qual havia um grande relógio, e duas alas envoltas em escadarias e balaústres de pedra. Por cima dos muros do parque e além do planalto, sustado pelos elevados rochedos normandos, avistava-se, por entre os vilarejos de Sainte-Marguerite e Varengeville, a silhueta do mar.

Ali vivia o Conde de Gesvres com sua filha Suzanne, bela e frágil criatura de cabelos loiros, e sua sobrinha Raymonde de Saint-Véran, adotada por ele dois anos após a morte dos pais.

No castelo, a vida era calma e rotineira. Alguns vizinhos os visitavam de vez em quando. Durante o verão, o conde levava as jovens quase diariamente a Dieppe. Ele era um homem alto, de bela e grave aparência, cabelos grisalhos. Muito rico, gerenciava sua própria fortuna e cuidava de suas propriedades auxiliado por seu secretário Jean Daval.

O juiz começou ouvindo as primeiras informações do sargento Quevillon, da polícia. A captura do culpado, sempre iminente, ainda não havia sido efetuada, mas todas as saídas do parque estavam vigiadas. Uma fuga era impossível.

Em seguida, o grupo atravessou a sala capitular e o refeitório, subindo ao primeiro andar. Notou-se logo que a ordem no salão era perfeita. Nem um móvel, nem um bibelô estavam fora do lugar. Nas paredes laterais do salão pendiam duas magníficas tapeçarias flamengas. Ao fundo, contra os painéis, quatro belíssimas telas em molduras antigas representavam cenas mitológicas. Eram os célebres quadros de Rubens, legados ao Conde de Gesvres, bem como as tapeçarias de Flandres, por seu tio materno, o fidalgo espanhol Marquês de Bobadilla. O juiz, Sr. Filleul, observou:

— Se o motivo do crime foi roubo, este salão, em todo caso, não foi visado.

— Quem sabe? — comentou o substituto, que falava pouco, mas sempre em contradição ao juiz.

— Ora, meu caro senhor, a primeira providência de um ladrão seria retirar estes quadros e estas tapeçarias mundialmente famosos.

— Talvez ele não tenha tido oportunidade.

— É o que iremos descobrir.

Nesse momento o Conde de Gesvres entrou seguido do médico. O conde, que não parecia ressentir-se da agressão sofrida, deu as boas-vindas aos dois magistrados e, em seguida, abriu a porta do quarto de vestir.

O cômodo, onde ninguém havia penetrado depois do crime, a não ser o médico, apresentava, contrariamente ao salão, a maior das desordens. Duas cadeiras estavam caídas, uma das mesas quebrada e vários outros objetos — um relógio de cabeceira, um classificador, uma caixa de papel de cartas — jogados pelo chão. E havia sangue em algumas folhas de papel, espalhadas.

O médico afastou o lençol que cobria o cadáver. Jean Daval, vestido com sua roupa comum de veludo e calçado com botinas ferradas, estava estendido de costas, com um dos braços dobrados sob o corpo. Sua camisa havia sido aberta, permitindo a visão do grande ferimento que lhe rasgara o peito.

— A morte deve ter sido instantânea — disse o médico. — Uma facada foi suficiente.

— Certamente com a faca que vi sobre a lareira do salão, ao lado de um boné de couro, não? — perguntou o juiz.

— Sim— declarou o Conde de Gesvres. — A faca foi apanhada aqui mesmo. Foi tirada da panóplia do salão, de onde minha sobrinha, senhorita de Saint-Véran, retirou a espingarda. Quanto ao boné de cocheiro, é evidentemente o do assassino.

Sr. Filleul estudou, ainda, certos detalhes do local, fez algumas perguntas ao médico, depois pediu ao conde que lhe fizesse um relato minucioso do que havia visto e sabia.

— Foi Jean Daval quem me acordou — iniciou o conde. — Aliás, eu dormia mal, com instantes de lucidez, durante os quais tinha a impressão de ouvir passos. De repente abri os olhos e vi Sr. Daval aos pés da minha cama, com uma vela na mão e vestido como está, pois ele trabalhava frequentemente até tarde da noite. Parecia muito agitado e me disse em voz baixa: "Há pessoas no salão". Realmente, eu ouvia um barulho. Levantei-me e entreabri silenciosamente a porta deste quarto de vestir. No mesmo instante, essa outra porta que dá para o salão foi empurrada e um homem saltou sobre mim, acertando-me um soco na têmpora. Conto-lhe isso sem maiores detalhes, senhor juiz, porque só consigo lembrar-me dos fatos principais, já que tudo se passou com extrema rapidez.

— E depois?

— Depois... não sei mais... estava desmaiado. Quando acordei, Daval estava caído, mortalmente ferido

— O senhor suspeita de alguém?

— Não... ninguém.

— O senhor tem inimigos?

— Não, que eu saiba.

— Sr. Daval por acaso os tinha?

— Daval? Um inimigo? Ele era a melhor das criaturas. Há vinte anos que era meu secretário e, posso dizer mesmo, meu confidente, e jamais vi em torno dele senão amizade e simpatia.

— No entanto, houve uma invasão de domicílio e um assassinato — disse o juiz.

— Tem que haver um motivo para tudo isso.

— Um motivo? Mas foi o furto, pura e simplesmente.

— Roubaram-lhe então alguma coisa?

— Nada.

— E então?

— Então, se aparentemente nada foi roubado e se não falta nada, alguma coisa deve ter sido levada.

— O quê?

— Não sei, mas minha filha e minha sobrinha lhe dirão, com segurança, que viram dois homens, sucessivamente, atravessar o parque carregando fardos bastante volumosos.

— Essas senhoritas......sonharam? Eu estaria tentado a acreditar nisso, pois desde cedo canso-me em buscas e suposições. Mas é fácil interrogá-las.

As duas primas foram chamadas ao salão. Suzanne, ainda pálida e trêmula, mal conseguia falar. Raymonde, mais enérgica e corajosa, e também mais bonita, com um brilho dourado em seus olhos castanhos, contou o que vira e o papel que desempenhara.

— Então, senhorita, seu depoimento é categórico?

— Totalmente. Os dois homens que vimos atravessando o parque carregavam objetos.

— E o terceiro?

— Saiu de mãos vazias.

— Poderia descrevê-lo?

— Ele nos cegou o tempo todo com sua lanterna. Só posso dizer, no máximo, dizer que era alto e robusto.

— Também lhe pareceu assim, senhorita? — perguntou o juiz a Suzanne de Gesvres.

— Sim... ou melhor, não... eu o achei de altura média e magro.

Sr. Filleul sorriu, já habituado às divergências de opinião e visão por parte das testemunhas de um mesmo fato.

— Temos, então, por um lado, um indivíduo que ao mesmo tempo é alto e baixo, magro e gordo e, por outro, dois homens acusados de ter retirado deste salão objetos... que ainda aqui se encontram.

Sr. Filleul era um juiz da escola ironista, como ele mesmo dizia. Era também um juiz que não detestava plateias, nem ocasiões de mostrar ao público suas habilidades, como bem o demonstrava o número crescente de pessoas que se acotovelavam no salão. Aos jornalistas se haviam juntado o granjeiro e seu filho, o jardineiro e sua mulher, a criadagem do castelo e os dois cocheiros que haviam conduzido as carruagens desde Dieppe.

— Temos que chegar a um acordo a respeito da maneira pela qual desapareceu essa terceira personagem. A senhorita atirou com esta espingarda e desta janela? — voltou a perguntar o juiz de instrução.

— Sim. Ele estava próximo à tumba, escondido entre os arbustos, à esquerda do claustro.

— Mas ele se levantou?

— Tentou, apenas. Victor desceu logo para vigiar a portinhola e eu o segui. Albert ficou aqui para observar.

Albert, por sua vez, prestou depoimento e o juiz concluiu:

— Conforme o senhor disse, o ferido não poderia fugir pela esquerda, já que seu colega vigiava a porta, nem pela direita, pois o senhor o teria visto atravessar o gramado. Então, pela lógica, ele deve estar agora no espaço relativamente restrito que temos sob os nossos olhos.

— É a minha opinião.

— É também a sua, senhorita?

— Sim — respondeu Raymonde.

— E a minha também — disse Victor.

O promotor substituto exclamou em tom irônico:

— O campo de investigações é pequeno. Só o que temos a fazer é continuar as buscas iniciadas há quatro horas.

— Talvez tenhamos mais sorte.

— Sr. Filleul apanhou então sobre a lareira o boné de couro, examinou-o e, chamando à parte o sargento, lhe disse:

— Mande imediatamente um de seus homens à chapelaria de Sr. Maigret, em Dieppe, e peça-lhe que nos informe, se possível, a quem foi vendido este boné.

O campo de investigações, como dissera o promotor substituto, limitava-se ao espaço compreendido entre o castelo, o gramado da direita, o ângulo formado pelo muro da esquerda e pelo muro oposto ao castelo, isto é, um quadrilátero de, aproximadamente, cem metros de lado, onde surgiam, aqui e ali, as ruínas de Ambrumésy, o célebre mosteiro da Idade Média.

Imediatamente, na grama pisada, dava para se ver a passagem do fugitivo. Em dois locais havia marcas de sangue escurecido, quase seco. Depois da curva da arcada que marcava a extremidade do claustro, não havia mais nada. E a natureza do solo, atapetado de agulhas de pinheiro, não ajudava a encontrar as marcas de um corpo. Como, então, o ferido havia conseguido escapar aos olhos da jovem, de Victor e de Albert? Algumas touceiras tinham sido revistadas pelos criados do castelo e pelos policiais, assim como reviradas algumas pedras tumulares.

O juiz mandou então abrir as portas da capela, e o jardineiro, que possuía a chave, logo obedeceu. A Chapelle-Dieu era uma verdadeira joia de escultura que o tempo e as revoluções haviam respeitado, e que sempre fora admirada, pelo fino cinzelado de seu pórtico e pela delicadeza de suas estatuetas, como uma das maravilhas do estilo gótico normando.

A capela, pela simplicidade de seu interior, sem outro ornamento a não ser o altar de mármore, não oferecia o menor esconderijo. Aliás, primeiro seria preciso entrar nela. Mas como fazê-lo?

As investigações levaram as autoridades à portinhola que servia de entrada às pessoas que iam visitar as ruínas. Ela se abria para um caminho escavado que se apertava entre o muro do castelo e um bosque, onde se avistavam algumas pedreiras abandonadas.

Sr. Filleul abaixou-se. No chão havia marcas de pneus antiderrapantes. De fato, Raymonde e Victor pensavam ter ouvido, após o tiro, o ronco do motor de um carro.

— Talvez o ferido tenha ido juntar-se a seus cúmplices — insinuou o juiz.

— Impossível! — exclamou Victor. — Eu já estava junto à porta, enquanto a senhorita e Albert ainda o avistavam.

— Ele tem que estar em algum lugar! Ou fora ou dentro.

— Ele está por aqui — afirmaram os criados.

O juiz deu de ombros e voltou para o castelo, aborrecido. Decididamente o caso começava mal. Um roubo em que nada fora roubado, um prisioneiro invisível... as coisas não iam nada bem.

Já era tarde. O Conde de Gesvres convidou então os magistrados e os dois jornalistas para almoçar. Comeram silenciosamente, após o que Sr. Filleul voltou para o salão e interrogou os criados. Ouviu-se o trote de um cavalo do lado do pátio e, instantes depois, o guarda que havia sido mandado a Dieppe entrou.

— Então, esteve com o chapeleiro? — perguntou o juiz, impaciente por obter afinal uma informação.

— O boné foi vendido a um cocheiro. — Um cocheiro!

— Sim, um cocheiro que parou sua carruagem diante da loja e pediu um boné de couro amarelo para um de seus fregueses. Restava apenas esse aí. O homem pegou-o sem nem mesmo se preocupar com o tamanho e partiu. Estava muito apressado.

— Qual era o tipo da carruagem?

— Dessas de quatro lugares.

— E em que dia foi isso?

— Dia? Foi hoje de manhã!

— Hoje de manhã? O que é que você está me dizendo?

— O boné foi comprado esta manhã.

— Mas isso é impossível! Ele foi encontrado esta noite no parque! Para isso seria preciso que ele estivesse lá e, logicamente, que tivesse sido comprado antes.

— O chapeleiro me disse que foi esta manhã.

Houve um momento de assombro. O juiz, estupefato, tentava compreender. Súbito, estremeceu, atinando com uma ideia luminosa.

— Tragam o cocheiro que nos conduziu esta manhã.

O sargento e um seu subordinado correram para o lado das cavalariças. Instantes depois o sargento voltou só.

— E o cocheiro?

— Ele almoçou na cozinha e depois...

— Depois...?

— Foi embora.

— Com a carruagem?

— Não. Com o pretexto de visitar parentes em Ouville, pediu emprestada a bicicleta do ajudante de cavalariça. Deixou o chapéu e o casaco.

— E saiu com a cabeça descoberta?

— Não. Tirou do bolso um boné e o colocou.

— Um boné?

— Sim, de couro amarelado, me parece.

— De couro amarelado? Não é possível, ele está aqui!

— De fato, senhor juiz, mas o dele era igual.

O promotor substituto deu um risinho.

— Muito engraçado. Muito divertido. Há dois bonés... um, que era o verdadeiro e que constituía a nossa única prova material, foi embora na cabeça do falso cocheiro. O outro está em suas mãos. Não há dúvida... o homenzinho nos enganou mesmo.

— Alcancem-no! Tragam-no de volta! — gritou Sr. Filleul. — Sargento Quevillon, mande dois de seus homens atrás dele, a todo galope!

— Ele já vai longe — observou o promotor substituto.

— Por mais longe que esteja, temos de agarrá-lo.

— Espero que sim, senhor juiz, mas creio que nossos esforços devem concentrar-se mais aqui. Veja este papel que acabo de encontrar no bolso do casaco.

— Que casaco?

— O do cocheiro.

E o promotor substituto passou a Sr. Filleul um papel dobrado em quatro, onde se liam algumas palavras escritas a lápis, numa caligrafia um tanto vulgar:

— Ai da senhorita, se tiver matado o chefe.

O incidente causou certa emoção.

— Para um bom entendedor meia palavra basta. Estamos avisados — murmurou o substituto.

— Senhor conde — falou o juiz, peço-lhe que não se preocupe. Nem as senhoritas. Esta ameaça não tem a menor importância, já que a justiça está presente. Todas as precauções serão tomadas. Eu respondo pela segurança de todos. Quanto aos senhores — acrescentou, virando-se para os repórteres, conto com sua discrição. É graças à minha complacência que participam desta investigação, e seria recompensar mal...

Interrompeu-se, como se lhe tivesse ocorrido alguma ideia, olhou atentamente para cada um dos dois jovens e aproximou-se de um deles:

— Para que jornal você trabalha?

— Para o *Journal de Rouen*.

— Tem aí algum documento que prove isso?

— Sim, aqui está.

O documento estava em ordem, e o juiz interpelou o outro repórter:

— E você?

— Eu?

— Sim, você. Estou perguntando a que jornal pertence.

— Ora, senhor juiz, eu escrevo para vários jornais.

— Alguma identificação?

— Não, não tenho.

— E por que não?

— Bem, para que um jornal nos dê uma identificação, temos que trabalhar nele continuamente.

— E qual é o seu caso?

— Sou apenas um colaborador. Distribuo para uns e outros artigos que são publicados ou recusados, conforme as circunstâncias.

— Nesse caso, seu nome... seus documentos.

— Meu nome não ajudaria em nada. Quanto aos documentos, não os tenho.

— Você não tem nenhum documento que prove sua profissão?

— Eu não tenho profissão.

— Mas, afinal — exclamou o juiz bruscamente, você não está pretendendo permanecer incógnito, depois de haver entrado aqui usando um ardil e surpreendido os segredos da justiça.

— Senhor juiz, nada me foi perguntado quando cheguei e, consequentemente, nada tinha a esclarecer. Além disso, não me pareceu que o interrogatório tenha sido secreto, já que todo o mundo assistiu a ele... inclusive um dos culpados.

O rapaz falava com tranquilidade, de forma extremamente educada. Era muito jovem, alto e magro, vestido com uma calça curta demais e um casaco apertado. Tinha o rosto rosado, a testa larga, cabelos cortados à escovinha e uma barba loura e mal aparada. Seus olhos tinham um brilho inteligente. Não parecia nada embaraçado e sorria de modo simpático, sem o menor traço de ironia.

Sr. Filleul o observava desconfiado. Dois guardas se aproximaram. O rapaz exclamou:

— Senhor juiz, pelo visto desconfia que eu seja um dos cúmplices. Mas, se assim fosse, acha que eu não teria escapado a tempo, conforme fez o meu colega?

— Você poderia esperar...

— Qualquer espera seria absurda. O senhor há de convir que, pela lógica...

O juiz encarou-o, e disse secamente:

— Chega de brincadeiras. Seu nome?

— Isidore Beautrelet.

— Profissão?

— Estudante de retórica no Liceu Janson-de-Sailly.

Sr. Filleul olhou-o espantado.

— Que está dizendo? Aluno de retórica...

— No Liceu Janson-de-Sailly, Rue de la Pompe, número...

— Ah! Você então está pretendendo divertir-se às minhas custas! Vamos acabar com essa brincadeira!

— Confesso, senhor, que sua surpresa me espanta. O que há de mais em ser aluno do Liceu Janson? Minha barba, talvez? Não se incomode, ela é falsa.

Isidore Beautrelet arrancou a penugem que ornava seu queixo, e o rosto imberbe apareceu, ainda mais jovem, mais rosado, um verdadeiro rosto de colegial. E perguntou, enquanto um riso de criança descobria seus dentes brancos:

— E agora, está convencido? Precisa de mais provas? Veja estas cartas de meu pai... o endereço: Sr.Isidore Beautrelet, Internato Liceu Janson-de-Sailly.

Convencido ou não, Sr. Filleul não parecia estar gostando nada da história. Perguntou, num tom mal-humorado:

— E que está você fazendo aqui?

— Estou me instruindo.

— Para isso existem colégios... O seu, por exemplo.

— O senhor esquece, senhor juiz, que hoje é dia 23 de abril e estamos em férias de Páscoa.

— E daí?

— Daí, tomei a liberdade de usar essas férias à minha maneira...

— E seu pai?

— Meu pai mora longe, no interior da Savoia. Foi ele mesmo quem me aconselhou a fazer uma viagenzinha pelas costas da Mancha.

— Com uma barba postiça?

— Ah, isso não! A ideia da barba foi minha. No liceu conversamos muito sobre aventuras misteriosas, lemos romances policiais, onde sempre há disfarces. Imaginamos uma porção de coisas complicadas e terríveis. Então quis me divertir e coloquei a barba. Além disso tinha a vantagem de ser levado a sério, e assim me fiz passar por repórter. Ontem à tarde, após uma semana insignificante, tive o prazer de conhecer o meu colega de Rouen. Esta manhã, quando tomei conhecimento do caso de Ambrumésy, ele me propôs acompanhá-lo, dividindo as despesas.

Isidore Beautrelet falava com simplicidade, franca e ingenuamente, com um encanto ao qual era difícil escapar. Sr. Filleul, apesar de manter uma reserva cautelosa, divertia-se em escutá-lo. Perguntou em tom menos severo:

— E você está satisfeito com sua aventura?

— Encantado! Eu nunca havia assistido a um caso deste gênero, e a este aqui nada falta.

— Nem as tais complicações misteriosas de que você tanto gosta.

— E que são apaixonantes, senhor juiz! Não conheço maior emoção do que observar os fatos virem à luz, agrupando-se uns sobre os outros e formando, aos poucos, a verdade provável.

— A verdade provável... Você está se adiantando muito, meu rapaz. A não ser que já tenha sua soluçãozinha para o enigma.

— Oh, não! — disse rindo Beautrelet. — Apenas... me parece que existem certos pontos sobre os quais não é impossível se formar uma opinião e outros, tão precisos, que bastaria apenas... concluir-se.

— Mas isso está começando a ficar interessante! Finalmente vou saber alguma coisa. Porque confesso, com grande vergonha, que não sei nada.

— É que o senhor ainda não teve tempo de refletir. É tão raro que os fatos não tragam em si sua própria explicação! O senhor não concorda? Em todo caso, não constatei outros fatos, a não ser os apurados no interrogatório.

— Que ótimo! E se eu lhe perguntasse quais foram os objetos roubados deste salão, o que responderia?

— Que sei quais são.

— Bravo! Você sabe mais a respeito que o próprio dono! Sr. de Gesvres acha que tudo está no lugar; já Sr. Beautrelet diz que não.

— Faltam uma estante e uma estátua em tamanho natural que ninguém percebeu antes.

— E se eu lhe perguntasse o nome do assassino?

— Diria, igualmente, que já sei.

Todos se sobressaltaram. O promotor substituto e o outro repórter se aproximaram. O Conde de Gesvres e as moças escutavam, atentamente, impressionados pela segurança de Beautrelet.

— O senhor sabe quem é o assassino?

— Sei.

— E também o lugar onde ele se encontra?

— Sim.

Sr. Filleul esfregava as mãos.

— Que sorte! Essa captura será a glória da minha carreira. Poderia então começar a me fazer essas estarrecedoras revelações?

— Sim... ou por outra, se o senhor não vê inconveniente, dentro de uma hora ou duas, quando estiver terminado o inquérito.

— Não, não! Imediatamente, rapaz...

Nesse momento, Raymonde de Saint-Véran, que desde o início da cena não tinha parado para Isidore Beautrelet, dirigiu-se a Sr. Filleul.

— Senhor juiz...

— O que deseja, senhorita?

Após hesitar dois ou três segundos, olhos fixos em Beautrelet, ela falou:

— Gostaria que o senhor juiz perguntasse a este jovem a razão pela qual ele passeava, ontem, pelo caminho que leva à portinhola.

A frase teve efeito teatral. Isidore pareceu embaraçado.

— Eu, senhorita?... Eu?... A senhorita me viu, ontem?

Raymonde encarou Beautrelet, como se procurasse aprofundar suas convicções, e declarou em tom grave:

— Ontem, às quatro horas da tarde, quando atravessava o bosque, encontrei um homem da estatura deste cavalheiro, vestido como ele, com uma barba como a dele..., e tive a impressão nítida de que procurava se esconder.

— E era eu?

— Minha lembrança é um pouco vaga. No entanto, parece-me que... se não era o senhor, a semelhança é muito estranha.

Sr. Filleul estava perplexo. Já tinha sido enganado por um dos criminosos, e iria agora se deixar lograr por aquele duvidoso colegial?

— O que tem você a dizer?

— Que a senhorita se engana. Ontem, a essa hora, eu estava em Veules.

— Terá de provar isso. De qualquer modo, a situação mudou. Um dos policiais fará companhia ao cavalheiro.

O rosto de Isidore Beautrelet exibiu uma forte contrariedade.

— Por muito tempo?

— O tempo suficiente para reunir as informações necessárias.
— Senhor juiz, suplico-lhe que as reúna com a máxima brevidade e discrição possíveis...
— Por quê?
— Meu pai está velho. Nós nos queremos muito bem... e eu não gostaria de que ele se aborrecesse por minha causa.

O tom lamurioso de Isidore desagradou ao juiz. Parecia uma cena melodramática. Apesar disso, ele prometeu:
— Hoje à noite... amanhã o mais tardar, saberei alguma coisa.

Uma boa parte da tarde já havia transcorrido quando o juiz voltou às ruínas do claustro, tomando a precaução de proibir a entrada de curiosos. Pacientemente, com método, dividiu o terreno em áreas a serem estudadas e prosseguiu as investigações, fazendo questão de chefiá-las. Mas, ao fim do dia, nada de novo havia sido descoberto, e ele declarou ao bando de repórteres que invadira o castelo:
— Tudo leva a crer que o ferido está aqui, ao nosso alcance; tudo, a não ser a realidade dos fatos. Em nossa modesta opinião, ele deve ter escapado. E é fora do castelo que o encontraremos.

Organizou, por precaução, uma vigilância dentro do parque, com ajuda do sargento. E, após examinar novamente os dois salões e percorrer minuciosamente o castelo, colecionando mais informações, retomou o caminho de volta a Dieppe em companhia do promotor substituto.

Anoiteceu. Como o quarto de vestir teria de ficar fechado, o corpo de Jean Daval foi transportado para outro cômodo. Duas mulheres da vizinhança faziam o velório, acompanhadas por Suzanne e Raymonde. Embaixo, sob o olhar atento do guarda-florestal, Isidore Beautrelet cochilava sobre um banco do antigo oratório. Do lado de fora, os policiais, o granjeiro e uma dúzia de camponeses estavam postados entre as ruínas e ao longo dos muros.

Até as onze horas tudo permaneceu tranquilo. Mas, às onze e dez, um tiro ressoou do outro lado do castelo.
— Atenção! — gritou o sargento. — Dois homens fiquem aqui! Vocês dois... Fossier e Lecanu... Os outros venham comigo!

Eles correram, contornando o castelo pela esquerda. Uma silhueta se esgueirou pela sombra. Logo em seguida, um segundo tiro os atraiu para mais longe, quase no limite da propriedade. De repente, quando os policiais atingiam a sebe que circundava o pomar, uma chama se elevou, à direita da casa reservada ao granjeiro. Outras chamas subiram em seguida, espessa coluna. Era a granja queimando, repleta de palha.
— Patifes! — gritou Quevillon. — Foram eles que atearam o fogo! Vamos agarrá-los, rapazes! Não devem estar longe!

Mas o vento virava as chamas em direção à fachada do castelo e foi preciso evitar o perigo. Todos se empenharam nessa tarefa com entusiasmo, aumentado pelo fato de o Conde de Gesvres ter acorrido ao local, encorajando-os com a promessa de uma recompensa. Quando o incêndio foi dominado já eram duas da manhã. Toda e qualquer perseguição seria inútil.

— Veremos isso quando o dia clarear — disse o sargento. — Certamente terão deixado pistas... nós os encontraremos.

— Eu gostaria de entender a razão deste ataque — falou, pensativo, o Conde de Gesvres. — Incendiar fardos de palha parece-me tão inútil...

— Venha comigo, senhor conde. Talvez eu possa lhe explicar a razão.

Aproximaram-se, juntos, das ruínas do claustro, e o sargento chamou:

— Lecanu!... Fossier!...

Logo, outros guardas se puseram a procurar os colegas deixados de plantão. Acabaram por descobri-los junto à portinhola. Estavam estendidos no chão, amarrados, amordaçados e com os olhos vendados.

— Senhor conde — murmurou o sargento, enquanto os homens eram libertados, fomos enganados como crianças.

— Como assim?

— Os tiros... o ataque... o incêndio... tudo não passou de um ardil para nos atrair para aquele lado... Enquanto isso, dominaram nossos rapazes e o caso foi resolvido.

— Que caso?

— O transporte do ferido, bolas!

— Ora, vamos, o senhor acredita...?

— Se acredito? É a única verdade! Há dez minutos que essa ideia me passou pela cabeça. Sou um idiota por não ter pensado nisso antes. Teríamos segurado todos eles!

Quevillon bateu o pé, num acesso de raiva.

— Mas onde? Por onde será que eles passaram? Por onde o levaram? E esse miserável, onde será que estava escondido? Afinal de contas, revistamos esse terreno palmo a palmo, o dia inteiro! Um sujeito não pode se esconder dentro de moitas de capim, ainda mais se está ferido. Parece mágica!

Quevillon ainda não havia chegado ao fim de suas surpresas. De madrugada, quando entraram no oratório que servia de cela ao jovem Beautrelet, viram que ele tinha sumido. Arriado sobre uma cadeira, o guarda-florestal dormia. Ao lado dele, uma garrafa e dois copos. Num dos copos, percebia-se um resto de pó branco.

Após um exame no local, ficou provado que Beautrelet tinha dado um narcótico ao guarda-florestal. Poderia ter escapado por uma janela, situada a dois metros e meio de altura. Um detalhe estarrecedor: só poderia ter alcançado a janela utilizando como degrau as costas do guarda.

Capítulo 2
ISIDORE BEAUTRELET, ESTUDANTE DE RETÓRICA

Transcrito do Grand Journal:

"NOTÍCIAS DA NOITE SEQUESTRO DO DR. DELATTRE
GOLPE DE GRANDE OUSADIA.

Ao encerrarmos esta edição, recebemos uma notícia cuja autenticidade não ousamos garantir, de tão inverossímil que nos parece. Nós a publicamos, portanto, com reservas.

Ontem à noite o célebre cirurgião Dr. Delattre assistia, com sua mulher e sua filha, à representação de Hernani na Comédie Française. No início do terceiro ato, aproximadamente às dez horas, a porta de seu camarote se abriu e um homem, acompanhado de dois outros, aproximou-se do médico e disse, em tom suficientemente alto para ser ouvido por Sra. Delattre:

— Doutor, tenho uma missão das mais penosas a cumprir, e ficar-lhe-ia muito grato se a facilitasse.

— Quem é o senhor?

— Thézard, comissário de polícia. Tenho ordem para conduzi-lo à presença de Sr. Dudouis, na prefeitura.

— Mas, afinal de contas...

— Não diga nada, doutor, eu lhe peço. Não faça também nenhum gesto. Trata-se de um lamentável engano e, por isso, devemos agir em silêncio, sem chamar a atenção. Antes do fim da peça, tenho certeza, o senhor estará de volta.

O médico levantou-se e seguiu o comissário. Ao fim da peça, não havia regressado.

Muito preocupada, Sra. Delattre foi ao posto policial e lá encontrou o verdadeiro Sr. Thézard. Concluiu, então, apavorada, que o indivíduo que levara seu marido não passava de um impostor.

As primeiras investigações revelaram que o médico entrara num carro, o qual se afastara em direção à Concorde.

Nossa segunda edição manterá nossos leitores atualizados sobre esta incrível aventura."

Por incrível que parecesse, a aventura era verídica. Seu desfecho, aliás, não tardou, e o *Grand Journal*, ao confirmá-la em sua edição da tarde, publicou em algumas linhas a maneira espetacular como terminara.

"O FIM DA HISTÓRIA — E O COMEÇO DAS SUPOSIÇÕES

Esta manhã, às nove horas, o Dr. Delattre foi reconduzido à porta do número 78 da Rue Duret por um automóvel que se afastou rapidamente, logo em seguida. O endereço não é outro senão o da clínica do Dr. Delattre, onde, todas as manhãs, ele chega a essa mesma hora.

Quando nossa reportagem lá se apresentou, o conhecido cirurgião, apesar de se encontrar reunido com o chefe de segurança, teve a gentileza de nos receber.

— O que lhes posso dizer — respondeu — é que fui tratado com a maior consideração. Meus três companheiros são pessoas encantadoras, de requintada educação, espirituosos e agradáveis interlocutores, o que não é de se desprezar, tendo em vista a duração da viagem.

— Quanto tempo durou?

— Cerca de quatro horas.

— E depois?

— Fui levado para junto de um paciente que necessitava de uma cirurgia urgente.

— A operação foi bem sucedida?

— Sim, mas há razões para temer pelo doente. Aqui eu me responsabilizaria por ele. Mas lá, nas condições em que se encontra...

— Está em más condições?

— Péssimas... Num quarto de estalagem, praticamente impossibilitado de receber os devidos cuidados.

— Quem, então, poderá salvá-lo?

— Um milagre... e também sua constituição excepcionalmente forte.

— O senhor não pode dizer mais nada sobre esse estranho cliente?

— Não, não posso. Primeiro porque dei minha palavra e depois porque recebi a importância de dez mil francos em benefício de minha clínica popular. Se eu não guardar segredo essa quantia será retomada.

— Ora! O senhor acredita?

— Sim, acredito. Aquelas pessoas me deram a impressão de falar muito a sério. Essas foram as declarações que nos prestou o Dr. Delattre. Sabemos também que o chefe de segurança ainda não conseguiu obter informações mais detalhadas sobre a cirurgia realizada, o paciente e as regiões percorridas pelo automóvel. Parece, portanto, que a verdade total dificilmente será revelada."

Essa verdade, que o jornal confessava não ter como esclarecer, os leitores mais perspicazes adivinharam através de uma simples conexão com os fatos que se haviam desenrolado na véspera, no Castelo de Ambrumésy, e que todos os jornais noticiavam em seus mínimos detalhes. Era evidente que, entre o desaparecimento de um assaltante ferido e o sequestro de um famoso cirurgião, havia uma coincidência que era preciso levar em conta.

A investigação demonstrou que a hipótese estava correta. Seguindo a pista do falso cocheiro que escapara na bicicleta, constatou-se que ele atingira a floresta de Arques, situada a quinze quilômetros do castelo, pois a bicicleta fora encontrada num fosso. Depois dirigira-se à aldeia de Saint-Nicolas, de onde expedira um telegrama nos seguintes termos:

"A. L. N., DEPARTAMENTO 45, PARIS. SITUAÇÃO DESESPERADORA. OPERAÇÃO URGENTE. ENVIEM CELEBRIDADE PELA NACIONAL CATORZE."

A evidência era irrefutável. Alertados, os cúmplices de Paris apressaram-se em tomar providências. Às dez da noite enviaram a celebridade pela Estrada Nacional número 14, que, ladeando a floresta de Arques; conduz a Dieppe. Nesse meio tempo, aproveitando-se do incêndio por ela própria ateado, a quadrilha arrebatara seu chefe e o transportara para uma estalagem, onde a operação foi realizada, logo após a chegada do médico, por volta das duas da madrugada.

Não há dúvidas sobre isso. O inspetor-chefe Ganimard foi enviado diretamente de Paris com o Inspetor Folenfant. Ele constatou a passagem de um carro por Pontoise, Gournay e Forges durante a noite precedente, bem como pela estrada que liga Dieppe a Ambrumésy. Se bem que os indícios da passagem do carro se perdessem a cerca de légua e meia do castelo, foram encontradas numerosas marcas de passos entre a portinhola do parque e as ruínas do mosteiro. Além disso, Ganimard verificara que a fechadura da portinhola tinha sido forçada. Portanto, tudo se explicava. Faltava achar a estalagem citada pelo médico.

Fácil tarefa para um velho e matreiro policial, bisbilhoteiro e paciente como Ganimard.

O número de estalagens não era grande, e a estalagem em questão só poderia estar situada nas vizinhanças de Ambrumésy, visto o estado do paciente. Ganimard e o sargento logo puseram-se em campo. Num raio de cinco mil metros visitaram e esquadrinharam tudo que poderia se assemelhar a uma hospedaria. Mas, contrariando todas as expectativas, o moribundo continuava invisível.

Ganimard persistiu. Foi dormir no castelo na noite do sábado, com a intenção de fazer pessoalmente uma investigação no domingo. Quando acordou soube que uma ronda policial avistara, naquela mesma noite, um vulto passar furtivamente do lado de fora dos muros do castelo. Seria um cúmplice que voltava para colher informações? Seria possível que o chefe da quadrilha ainda não houvesse deixado o claustro, ou seus arredores?

À noite, Ganimard mandou designar policiais para os lados da granja e postou-se, junto com Folenfant, fora dos muros, próximo à porta.

Pouco antes da meia-noite, um indivíduo saiu do bosque, esgueirou-se entre eles, transpôs a soleira da porta e penetrou no parque. Durante três horas eles o observaram vagar através das ruínas, abaixar-se, escalar os velhos pilares, permanecendo por vezes imóvel durante longos intervalos.

Ganimard segurou-o pela gola, enquanto Folenfant o agarrava pela cintura. Ele não resistiu e, com a maior docilidade, deixou que lhe amarrassem os pulsos e o conduzissem para o castelo. Mas, quando quiseram interrogá-lo, respondeu simplesmente que não lhes devia nenhuma explicação e que esperaria a chegada do juiz.

Então, eles o amarraram firmemente ao pé de uma cama, num dos dois quartos contíguos aos que os dois policiais ocupavam.

Na segunda-feira de manhã, assim que Sr. Filleul chegou, Ganimard anunciou a captura que havia feito. Trouxeram o prisioneiro. Era Isidore Beautrelet.

— Sr. Isidore Beautrelet! — exclamou entusiasticamente o juiz, estendendo as mãos ao recém-chegado. — Que ótima surpresa! O nosso excelente detetive amador, aqui, à nossa disposição!... Mas isso é uma grande alegria! Senhor inspetor, permita-me que lhe apresente Sr. Beautrelet, estudante de retórica no Liceu Janson-de-Sailly.

Ganimard parecia um tanto intrigado. Isidore cumprimentou-o respeitosamente, como a um colega a quem se dá o devido valor, e, virando-se para Filleul, disse:

— Parece que o senhor juiz recebeu boas informações a meu respeito!

— Ótimas! Para começar, o senhor estava, efetivamente, em Veules-les-Roses no momento em que senhorita de Saint-Véran julgou vê-lo no caminho. Tenho certeza de que conseguiremos descobrir a identidade de seu sósia. Além disso, o senhor é realmente Isidore Beautrelet, estudante de retórica, por sinal excelente aluno, trabalhador e de conduta exemplar. Como seu pai mora na província, o senhor sai apenas uma vez por mês e se hospeda em casa do correspondente dele, Sr. Bernod, o qual não lhe poupa elogios. — De modo que... — De modo que o senhor está livre.

— Completamente livre?

— Completamente. Ah!... Eu imponho apenas uma pequena condição. O senhor há de compreender que eu não posso liberar uma pessoa que administra narcóticos, que foge pelas janelas e que surpreendemos, em seguida, em flagrante delito de vagabundagem dentro de propriedades privadas. Não posso fazê-lo sem ter alguma compensação.

— Estou às suas ordens.

— Pois bem, vamos retomar aquela conversa interrompida e o senhor vai me dizer em que pé se encontram suas investigações. Em dois dias de liberdade o senhor deve tê-las adiantado bastante.

E como Ganimard se dispusesse a sair, mostrando desdém por aquele tipo de exercício, o juiz exclamou:

— De jeito nenhum, inspetor! Seu lugar é aqui. Eu lhe asseguro que vale a pena ouvir Sr. Isidore Beautrelet. Pelo que me contaram no liceu, Sr. Beautrelet é um arguto observador, que nada deixa passar despercebido. É considerado, entre os colegas, como capaz de competir com o senhor, inspetor, um autêntico rival de Herlock Sholmes.

— É mesmo? — disse Ganimard com ironia.

— Perfeitamente. Um deles me escreveu: Se Beautrelet afirma que sabe, convém acreditar. Aquilo que ele disser será, sem dúvida, a expressão exata da verdade. Sr. Isidore Beautrelet, agora ou nunca é chegado o momento de justificar a confiança de seus camaradas. Peço-lhe encarecidamente que nos dê a exata expressão da verdade.

Isidore, que ouvia sorrindo, respondeu:

— O senhor é cruel, senhor juiz. Zomba de pobres colegiais que se divertem como podem. Aliás, o senhor tem razão, e eu não vou lhe dar novos motivos para zombar de mim.

— Acontece que o senhor não sabe nada, Sr. Isidore Beautrelet.

— Confesso, com efeito, muito humildemente, que nada sei. Pois não considero saber alguma coisa a descoberta de dois ou três detalhes mais precisos que, aliás, certamente não poderiam ter escapado ao senhor.

— Por exemplo?

— Objetivo do roubo.

— Ora, decididamente o senhor pretende conhecer o objetivo do roubo?

— Como não tenho dúvidas de que o senhor também o conhece. Foi a primeira coisa que estudei, pois a tarefa me pareceu mais fácil.

— Mais fácil?

— Claro. Trata-se apenas de seguir um raciocínio.

— Nada mais?

— Nada mais.

— E que raciocínio?

— Vou desenvolvê-lo, sem maiores comentários. Por um lado houve um roubo, já que as duas jovens dizem ter visto realmente dois homens fugindo com objetos.

— Houve um roubo, então.

— Por outro lado, nada desapareceu, já que Sr. de Gesvres o afirma, e ele, mais do que ninguém, está em condições de saber isso.

— Nada desapareceu.

— Dessas duas constatações, deduz-se que, se houve roubo e nada desapareceu, é que o objeto roubado foi substituído por outro, idêntico. Pode ser, faço logo a ressalva, que este raciocínio não seja ratificado pelos fatos. Mas acredito que seja a primeira hipótese que se nos depara e que só teremos o direito de afastá-la depois de seriamente examinada.

— Certo... certo... — murmurou o juiz, visivelmente interessado.

— Ora — continuou Isidore, o que existiria neste salão que pudesse atiçar a cobiça dos ladrões? Duas coisas. Primeiro a tapeçaria. Isso seria impossível. Uma tapeçaria antiga não pode ser imitada, e a falsificação teria dado na vista. Restam os quatro Rubens.

— O que está dizendo?

— Digo que os quatro Rubens pendurados nesta parede são falsos.

— Impossível!

— *A priori* são fatalmente falsos.

— Eu lhe repito que é impossível!

— Há cerca de um ano, senhor juiz, um rapaz chamado Charpenais veio ao Castelo de Ambrumésy e pediu permissão para copiar os quadros de Rubens. Essa permissão lhe foi dada por Sr. de Gesvres. Todos os dias, durante cinco meses, da manhã à noite, Charpenais trabalhou neste salão. São as cópias que ele fez, molduras e telas, que tomaram o lugar dos quatro grandes quadros originais legados a Sr. de Gesvres por seu tio, o Marquês de Bobadilla.

— Provas!

— Não há provas a dar. Um quadro é falso porque é falso. E acho que nem é preciso examinar esse aí.

Sr. Filleul e Ganimard entreolhavam-se sem dissimular o espanto. O inspetor nem sonhava mais em se retirar. Finalmente, o juiz murmurou:

— Seria conveniente termos a opinião de Sr. de Gesvres.

Ganimard aprovou:

— Sim, seria conveniente termos sua opinião.

Logo, pediram ao conde que comparecesse ao salão.

Era uma verdadeira vitória alcançada pelo jovem retórico. Obrigar dois homens, dois profissionais como o Juiz Filleul e o Inspetor Ganimard, a tomar conhecimento de suas hipóteses era uma honra da qual qualquer pessoa se orgulharia. Mas Beautrelet parecia insensível a essas pequenas satisfações do amor-próprio. E, sempre sorrindo, sem a menor ironia, aguardou a entrada do Conde de Gesvres no salão, o que não tardou a acontecer.

— Senhor conde — disse o juiz, o prosseguimento do nosso inquérito colocou-nos face a uma eventualidade totalmente imprevista e a qual lhe submetemos sob reservas. É possível... repito, é possível... que os ladrões, ao se introduzirem aqui, tenham tido a finalidade de roubar seus quatro Rubens, ou pelo menos de trocá-los por quatro cópias... cópias que teriam sido executadas, há um ano, por um pintor chamado Charpenais. Poderia o senhor examinar os quadros e dizer-nos se reconhece sua autenticidade?

O conde pareceu reprimir uma certa contrariedade. Olhou para Beautrelet, depois para Sr. Filleul, e respondeu, sem se dar ao trabalho de examinar os quadros:

— Eu esperava, senhor juiz, que a verdade permanecesse ignorada. Já que isso não sucedeu, não hesito em declarar: estes quatro quadros são falsos.

— Então, o senhor já sabia?

— Desde o primeiro momento.

— E por que não disse?

— Quem possui um objeto não tem pressa em revelar que esse objeto não é, ou deixou de ser, autêntico.

— No entanto, esse seria o único meio de reavê-los.

— Havia outro melhor.

— Qual?

— Não divulgando o segredo, não amedrontando os ladrões e propondo-lhes a compra dos quadros, com os quais eles devem estar um tanto quanto embaraçados.

— E como se comunicar com eles?

Não havendo resposta do conde, Isidore adiantou-se:

— Através de uma nota publicada nos jornais. Um pequeno anúncio no *Le Journal* e no *Le Matin*, nos seguintes termos: "Estou disposto a readquirir os quadros."

O conde balançou a cabeça, concordando. Mais uma vez o rapaz levava vantagem sobre os dois profissionais. Sr. Filleul demonstrou ser bom perdedor:

— Decididamente, meu caro, começo a acreditar que seus colegas não estão errados. Santo Deus! Que olho! Que intuição! Se continuar assim, Sr. Ganimard e eu não teremos mais nada a fazer.

— Ora! Essa parte nada tinha de complicado.

— Você quer dizer que o que resta é muito mais complicado? Se eu bem me lembro, desde o nosso primeiro encontro você parecia saber muito mais. Creio que você afirmava conhecer o nome do assassino... — Realmente. — Então, quem matou Jean Daval?

— Está havendo um mal-entendido entre nós, senhor juiz. Ou, por outra, um mal-entendido entre o senhor e a realidade dos fatos, e isso desde o início. O assassino e o fugitivo são dois indivíduos distintos.

— Como?! — exclamou Sr. Filleul. — O homem que Sr. de Gesvres viu no quarto de vestir e com o qual lutou, o homem que as senhoritas viram no salão, contra o qual a jovem Saint-Véran atirou, o homem que caiu no parque e que nós procuramos, esse homem não é o mesmo que matou Jean Daval?

— Não.

— Você descobriu vestígios de um terceiro cúmplice, que teria desaparecido antes da chegada das jovens?

— Não.

— Então não entendo mais nada... Quem é, afinal, o assassino de Jean Daval?

— Jean Daval foi morto por...

Beautrelet interrompeu-se, pensou um momento e continuou:

— Antes, porém, é necessário que eu lhes mostre o caminho que percorri para chegar a ter certeza e as próprias razões do assassinato... sem o que minha acusação lhes pareceria monstruosa... E ela não é... não, ela não é. Existe um detalhe que passou despercebido e que é, no entanto, da maior importância. Jean Daval, quando foi atingido, estava completamente vestido, inclusive calçava botinas. Em outras palavras, vestia-se como se estivesse em pleno dia. Ora, o crime foi cometido às quatro horas da madrugada.

— Chamei a atenção para essa extravagância — disse o juiz, mas Sr. de Gesvres respondeu-me que Daval passava quase todas as noites trabalhando até tarde.

— Os criados afirmam o contrário. Que ele se deitava cedo, regularmente. Mas, admitindo que estivesse de pé, por que teria ele desfeito a cama, de maneira a fazer crer que estivera deitado? E, se estava deitado, por que ao ouvir barulho teria se dado ao trabalho de vestir-se dos pés à cabeça, em vez de sumariamente? Visitei seu quarto, no primeiro dia, enquanto os senhores almoçavam. Os chinelos dele estavam ao lado da cama. Quem o teria impedido de colocá-los, em vez de calçar suas pesadas botinas ferradas?

— Até aqui não vejo...

— Até aqui, com efeito, só se podem ver anomalias. Elas me pareceram, no entanto, muito mais suspeitas quando soube que o pintor Charpenais — o copista de Rubens — havia sido apresentado ao conde pelo próprio Jean Daval.

— E daí?

— Daí a concluir que Jean Daval e Charpenais eram cúmplices foi um passo. Este passo eu já havia dado desde nossa primeira conversa.

— Um pouco rápido, me parece...

— Realmente. Era preciso uma prova concreta. Ora, eu havia descoberto no quarto de Daval, sobre uma das folhas do bloco em que ele escrevia, este endereço. Aliás, ainda pode ser encontrado lá, decalcado pelo avesso no mata-borrão: Sr. A. L. N., Departamento 45, Paris. No dia seguinte foi descoberto o telegrama enviado de Saint-Nicolas pelo falso cocheiro e que levava este mesmo endereço: A. L. N., Departamento 45. A prova concreta existia. Jean Daval correspondia-se com a quadrilha que planejara o roubo dos quadros.

Sr. Filleul não levantou nenhuma objeção.

— Está bem. A cumplicidade está estabelecida. E qual é sua conclusão?

— Primeiro, não foi o fugitivo quem matou Jean Daval, já que Jean Daval era seu cúmplice.

— E então?

— Senhor juiz, lembre-se da primeira frase pronunciada por Sr. de Gesvres, quando recuperou os sentidos. A frase, repetida por senhorita de Gesvres, está nos autos: "Não estou ferido. E Daval?... está vivo?... A faca..." Peço-lhe que confronte a frase com o depoimento de Sr. de Gesvres, também consignado nos autos. Diz ele: "O homem saltou sobre mim e derrubou-me com um soco na têmpora." Como Sr. de Gesvres, que estava desmaiado, poderia saber, ao despertar, que Daval havia sido atingido por uma facada?

Beautrelet não esperou resposta à sua pergunta. Dir-se-ia que tinha pressa em fornecê-la, ele próprio, a fim de cortar a possibilidade de qualquer comentário. Continuou imediatamente:

— Logo, foi Jean Daval quem conduziu os três assaltantes até este salão. Enquanto ele aqui se achava com aquele a quem chamavam de chefe, ouve-se um ruído no quarto de vestir. Daval abre a porta. Reconhecendo Sr. de Gesvres, precipita-se em sua direção, armado de uma faca. Sr. de Gesvres consegue arrancar-lhe a faca, golpeia-o com ela e cai, atingido por um soco do indivíduo que as duas moças iriam avistar alguns minutos depois.

Novamente Sr. Filleul e o inspetor se entreolharam. Ganimard abanou a cabeça desconcertado. O juiz então retomou a palavra:

— Senhor conde, devo acreditar ser esta versão a correta?

Sr. de Gesvres não deu resposta.

— Vejamos, senhor conde, seu silêncio nos permitiria supor...

Pausadamente, Sr. de Gesvres declarou:

— Esta versão é exata nos mínimos detalhes.

O juiz sobressaltou-se.

— Não compreendo, então, por que o senhor induziu a justiça em erro. Por que dissimular um ato que o senhor tinha o direito de praticar em legítima defesa?

— Há vinte anos — disse Sr. de Gesvres — que Jean Daval trabalhava ao meu lado. Eu confiava nele. Prestou-me serviços inestimáveis. Se me traiu, em consequência não sei de que tentações, eu não desejaria, pelo menos em nome do passado, que sua traição fosse conhecida.

— Sim, mas o senhor devia...

— Não tenho a mesma opinião, senhor juiz. Desde o momento em que nenhum inocente estava sendo acusado do crime, era meu direito não acusar aquele que foi ao mesmo tempo culpado e vítima. Ele está morto. Penso que isso foi castigo suficiente.

— Mas agora, senhor conde, agora que a verdade foi revelada, o senhor pode falar.

— Sim. Eis aqui dois rascunhos de cartas escritas por ele a seus cúmplices. Eu os tirei de sua carteira, alguns minutos após sua morte.

— E qual o motivo do roubo?

— Vá a Dieppe, à Rue de la Barre número 18. Lá mora uma tal Sra. Verdier. Foi por essa mulher, que ele conheceu há dois anos, para prover sua necessidade de dinheiro, que Daval roubou.

Assim, tudo se elucidava. O drama surgia da sombra e, pouco a pouco, se esclarecia.

— Continuemos — disse Sr. Filleul, depois que o conde se retirou.

— Palavra de honra — declarou alegremente Beautrelet, estou sem saber o que dizer.

— Mas, e o fugitivo... o ferido?

— Sobre isso, senhor juiz, o senhor sabe tanto quanto eu... O senhor seguiu a trilha deixada por ele sobre a erva do claustro... o senhor sabe...

— Sim, sei... mas depois seus homens o levaram e o que eu desejo são indicações a respeito dessa hospedaria...

Isidore Beautrelet caiu na gargalhada.

— A estalagem! A estalagem não existe! É um truque para despistar a justiça. Truque engenhoso, aliás, já que deu resultado.

— No entanto, o Dr. Delattre afirma...

— Ora, justamente! — exclamou Beautrelet, em tom convicto. — É exatamente porque o Dr. Delattre afirma que não devemos acreditar. Ele forneceu sobre a aventura apenas detalhes imprecisos. Ele não quis dizer nada que pudesse comprometer a segurança de seu paciente... E eis que de repente chama a atenção sobre uma estalagem. Mas estejam certos de que se ele pronunciou essa palavra é porque ela lhe foi imposta. Estejam certos de que toda essa história que ele forneceu lhe foi ditada, sob ameaça de represálias terríveis. O doutor tem mulher e filha. E as ama demais para desobedecer à pessoa cujo terrível poder ele experimentou. Eis por que ele forneceu à justiça uma indicação das mais precisas.

— Tão precisa que não se consegue encontrar a tal estalagem.

— Tão precisa que os senhores não cessam de procurá-la. E o pior é que seus olhos se desviaram do único local onde o homem pode estar, desse lugar misterioso que ele não abandonou, que não lhe foi possível abandonar, desde o momento em que, ferido por senhorita de Saint-Véran, nele conseguiu se insinuar, como um animal em sua toca. — Mas onde, por Deus? — Nas ruínas do velho mosteiro.

— Mas não existem mais ruínas! Apenas alguns restos de muros, algumas colunas...

— É lá que ele se enterrou, senhor juiz! — exclamou Beautrelet, energicamente. — É lá que se devem limitar suas buscas! É lá, e não em outro local, que o senhor encontrará Arsène Lupin!

— Arsène Lupin! — e Sr. Filleul levantou-se de um salto.

Houve um silêncio meio solene, onde se prolongaram as sílabas do nome famoso. Arsène Lupin, o grande aventureiro, o rei dos ladrões, seria possível que fosse ele o adversário vencido e, no entanto, invisível, que procuravam encarniçadamente há vários dias? Arsène Lupin, apanhado no laço, preso, significava a promoção imediata, a fortuna, a glória! Ganimard não tinha se manifestado. Isidore perguntou-lhe:

— O senhor concorda comigo, não é, inspetor?

— Claro!

— O senhor também nunca duvidou de que fosse ele o organizador deste golpe?

— Nem por um segundo! Sua assinatura está lá. Um golpe de Lupin é diferente de todos os outros. Basta abrir os olhos.

— Você acredita... você acredita... — repetia Sr. Filleul.

— Se acredito! — exclamou o rapaz. — Reparem apenas neste pequeno detalhe: sob que iniciais essas pessoas se correspondiam? A. L. N., isto é: a primeira letra do nome Arsène e a primeira e a última letras do nome Lupin.

— Oh! — fez Ganimard. — Nada lhe escapa, hem? Você é dos bons. O velho Ganimard depõe as armas.

Beautrelet enrubesceu de prazer e apertou a mão que lhe estendia o inspetor. Os três homens aproximaram-se então do balcão e seus olhares estenderam-se sobre o campo das ruínas. Foi o juiz quem falou primeiro, murmurando:

— Quer dizer então que ele estaria ali...

— Ele está ali — disse Beautrelet, numa voz contida. — Ele está ali desde o momento em que caiu. Lógica e praticamente ele não poderia escapar sem ser visto por Senhorita de Saint-Véran e pelos dois criados.

— Que prova tem você?

— Seus cúmplices nos deram a prova. Naquela mesma manhã um deles se disfarçou em cocheiro e conduziu o senhor até aqui.

— Para reaver o boné, peça de identidade.
— Principalmente para visitar o local e verificar o que acontecera ao chefe.
— Será que ele conseguiu?
— Creio que sim, já que ele conhecia o esconderijo. Também que constatou o estado desesperador em que se encontrava seu chefe. Só uma grande preocupação explica a imprudência daquelas palavras ameaçadoras: Ai da senhorita, se tiver matado o chefe.
— Mas seus amigos devem ter conseguido retirá-lo mais tarde...
— Quando? Seus homens não se afastaram das ruínas. E, além disso, como o teriam levado? No máximo o arrastaram algumas centenas de metros, pois não se pode fazer um moribundo viajar. Nesse caso os senhores o teriam encontrado. Tenho certeza de que ele está lá. Jamais seus amigos o teriam arrancado de um esconderijo tão seguro. E foi para lá que eles levaram o doutor, enquanto os policiais corriam para apagar o incêndio.
— E como é que ele consegue viver? Para isso precisa de comida e água...
— Não sei dizer... não sei como... mas ele está lá, eu juro. Está lá porque não pode deixar de estar. Tenho tanta certeza disso como se pudesse vê-lo, tocá-lo... Ele está lá.

Beautrelet desenhou no ar um pequeno círculo que diminuiu pouco a pouco até se reduzir a um ponto. E era esse ponto que o juiz e o inspetor procuravam tenazmente, debruçados sobre o espaço, tocados pela mesma fé de Beautrelet e vibrando sob a ardente convicção que lhes havia sido imposta. Sim, Arsène Lupin estava lá. Em teoria, como de fato, ele lá se encontrava. Nem o juiz nem o inspetor podiam mais duvidar disso.

E havia algo de impressionante e de trágico em saber que num tenebroso refúgio debaixo da terra jazia sem socorro, febril e extenuado, o famoso Arsène Lupin.

— E se ele tiver morrido? — disse em voz baixa Sr. Filleul.
— Se ele tiver morrido e seus cúmplices se certificarem disso, zele pela segurança de Senhorita de Saint-Véran, senhor juiz, porque a vingança será terrível.

Alguns minutos mais tarde, apesar da insistência de Sr. Filleul, que já se acostumara com a presença daquele notável auxiliar, Beautrelet regressava a Dieppe, lamentando o término dos feriados da Páscoa. Por volta de cinco horas ele desembarcava em Paris, e às oito atravessava, junto com alguns colegas, o portão do liceu.

Ganimard, após uma inspeção tão minuciosa quanto inútil nas ruínas de Ambrumésy, viajou no trem noturno. Ao chegar em casa, encontrou o seguinte telegrama:

"*Senhor inspetor chefe:*
Tendo tido um pouco de folga no fim do dia, pude reunir algumas informações adicionais que podem lhe interessar.

Há um ano que Arsène Lupin vive em Paris sob o nome de Etienne de Vaudreix. É um nome encontrado frequentemente nas crônicas sociais e esportivas. Viaja continuamente, ausenta-se por longos períodos, durante os quais vai, diz ele, caçar tigres em Bengala ou raposas azuis na Sibéria. Passa por negociante, sem que se possa precisar que negócios são esses.

Sua atual residência é Rue Marbœuf, 36 (note que a Rue Marbœuf fica perto da agência do correio número 45). Desde quinta-feira, 23 de abril, véspera da agressão de Ambrumésy, não há notícia sobre Etienne de Vaudreix nos jornais.

Receba, senhor inspetor, junto com toda a gratidão pela benevolência que me foi dispensada, meus melhores votos de estima e consideração.

Isidore Beautrelet.

P. S. — Não creia que me foi difícil obter essas informações. Na manhã do crime, enquanto Sr. Filleul prosseguia com o inquérito, diante de alguns privilegiados, tive a feliz ideia de examinar o boné do fugitivo, antes que o falso cocheiro o tivesse trocado. O nome do chapeleiro foi suficiente para me levar a conhecer o nome do comprador e seu domicílio."

Na manhã seguinte Ganimard dirigiu-se ao número 36 da Rue Marbœuf. Após informar-se com o porteiro, mandou abrir o apartamento da direita do andar térreo. Nada encontrou, além de cinzas na lareira. Quatro dias antes, dois homens tinham ido lá queimar todos os papéis comprometedores.

Quando ia sair, Ganimard cruzou com o carteiro, que trazia uma carta para Sr. de Vaudreix. Nesta mesma tarde o Ministério Público, encarregado do caso, solicitava a carta. Ela fora expedida dos Estados Unidos e continha estas linhas, em inglês:

"Prezado senhor:

Confirmo a resposta que dei a seu agente. Assim que estejam em seu poder os quatro quadros de Sr. de Gesvres, queira enviá-los conforme combinado. O senhor poderá juntar o restante, caso o tenha conseguido, o que duvido bastante.

Forçado a partir por um negócio imprevisto, chegarei na mesma ocasião que esta carta. O senhor me encontrará no Grand Hôtel.

Harlington."

No mesmo dia, Ganimard prendeu o Sr. Harlington, cidadão americano, acusado de receptação e cumplicidade no roubo.

No espaço de 24 horas, graças às indicações inesperadas de um garoto de dezessete anos, todos os nós da intriga se desatavam. Em 24 horas, o que era inexplicável passou a ser simples e claro. Em 24 horas, o plano dos cúmplices para salvar seu chefe estava desfeito. A captura de Arsène Lupin, ferido, moribundo, não era mais posta em dúvida, sua quadrilha estava desmantelada, conhecia-se sua residência em Paris, bem como a máscara sob a qual se escondia. E trazia-se à luz pela primeira vez, antes que ele pudesse assegurar sua execução, um de seus golpes mais hábeis e mais longamente planejados.

Houve um imenso clamor público de espanto, admiração e curiosidade. O jornalista de *Rouen*, num artigo muito bem-feito, descrevera o primeiro interrogatório do jovem retórico, dando realce à sua boa presença, seu charme ingênuo e sua tranquila segurança. As indiscrições que Ganimard e Sr. Filleul cometeram sem querer, arrastados por um impulso mais forte que seu orgulho profissional, esclareceram o público sobre o papel de Beautrelet no decorrer dos últimos acontecimentos. Ele, sozinho, havia feito tudo. Apenas a ele cabia todo o mérito da vitória.

O público se apaixonou. De repente, Isidore Beautrelet virou herói, e a multidão subitamente fascinada exigia sobre seu novo favorito os mais amplos detalhes. Os repórteres tiveram que se mexer. Lançaram-se de assalto ao Liceu Janson-de--Sailly, entrevistaram os alunos externos nas saídas das aulas e colheram tudo que dizia respeito, de perto ou de longe, ao famoso Beautrelet. E soube-se, desta forma, da reputação que gozava entre seus colegas aquele que eles consideravam o rival de Herlock Sholmes. Por dedução, por lógica e sem maiores informações do que as que lia nos jornais, ele havia por diversas vezes anunciado a solução de casos complicados, que a justiça só chegaria a solucionar muito depois.

No Liceu Janson-de-Sailly todos se divertiam fazendo a Beautrelet perguntas intrincadas. Apresentavam-lhe problemas indecifráveis. Seus colegas admiravam-se de ver com que segurança de análise, por meio de que engenhosas deduções ele se movimentava através das mais espessas trevas. Dez dias antes da prisão do merceeiro Jorrisse, ele indicava o partido que se podia tirar do famoso guarda-chuva. Da mesma forma, afirmava desde o começo, a propósito do drama de Saint-Cloud, que o porteiro era o único possível assassino.

Mas o mais interessante foi um trabalho encontrado em circulação entre os alunos do liceu, trabalho esse datilografado, com dez cópias e assinado por Isidore. Tinha como título: "*Arsène Lupin, seu método, no que tem de clássico e no que tem de original*". Seguia-se uma comparação entre o humor inglês e a ironia francesa.

Era um estudo profundo de cada uma das aventuras de Lupin, onde as técnicas do ilustre ladrão apareciam com relevo extraordinário, e onde era demonstrado o próprio mecanismo de sua maneira de agir, a tática toda pessoal, as cartas aos jornais, as ameaças, os anúncios de seus roubos, em suma, o conjunto de truques que ele empregava para cozinhar a vítima escolhida e colocá-la num estado de espírito tal, que ela quase se expunha, à mercê do golpe maquinado contra ela. Tudo se efetuava, por assim dizer, com o seu próprio consentimento.

O estudo de Beautrelet sobre Lupin era tão certo como crítica, tão penetrante, tão vivo e de uma ironia ao mesmo tempo tão ingênua e tão cruel, que imediatamente os gozadores passaram para seu lado e a simpatia da multidão desviou-se de Lupin para Beautrelet. Na luta que se tramava entre eles, a vitória do jovem retórico era proclamada de antemão.

Tanto Sr. Filleul quanto a polícia de Paris mostravam-se ciosos de lhe reservar a possibilidade dessa vitória. Por um lado, com efeito, não se conseguia estabelecer a verdadeira identidade de Sr. Harlington, nem obter uma prova decisiva de sua filiação ao bando de Lupin. Comparsa ou não, ele se calava. Além disso, após o exame de sua caligrafia, não havia mais certeza de ter sido ele o autor da carta. Um tal Sr. Harlington, provido de uma maleta e de uma carteira bem recheada, se havia hospedado no Grand-Hôtel, eis tudo que era possível afirmar.

Enquanto isso, em Dieppe, Sr. Filleul estava confortavelmente instalado sobre as posições que Beautrelet conquistara para ele. Não tinha avançado nem mais um passo. A respeito do indivíduo que Senhorita de Saint-Véran tinha tomado por Beautrelet, na véspera do crime, continuava o mesmo mistério. As mesmas trevas, também, sobre o roubo dos quatro Rubens. Que fim teriam levado os quadros? E o carro que os tinha conduzido durante a noite, que caminho havia seguido?

Em Luneray, em Yerville, em Yvetot, provas de sua passagem haviam sido recolhidas, bem como em Caudebec-en-Caux, onde se supunha que ele houvesse atravessado o Sena numa barca, durante a madrugada. Porém, ao investigar mais, constataram que o carro era conversível e que seria impossível serem empilhados nele quatro grandes quadros, sem que os funcionários da barca vissem. Devia ser provavelmente o mesmo carro, mas a dúvida ainda permanecia: o que teria sido feito dos quatro Rubens?

Eram outros problemas que Sr. Filleul deixava sem resposta. Todos os dias seus subordinados vasculhavam o quadrilátero de ruínas. Quase todos os dias ele próprio ia dirigir as pesquisas. Mas daí a descobrir o local onde Lupin agonizava — supondo-se que a tese de Beautrelet estivesse certa, daí a descobrir o esconderijo, havia um abismo que o excelente magistrado não demonstrava a menor disposição de transpor.

Com isso, as atenções se voltavam para Beautrelet, pois ele havia sido o único a dissipar as trevas que, longe dele, se reagrupavam mais densas e mais impenetráveis. Por que razão ele não se interessava mais pelo caso? Ao ponto em que ele o havia conduzido, bastar-lhe-ia um pequeno esforço para concluir.

A pergunta lhe foi lançada por um redator do *Grana Journal*, que se introduziu no Liceu Janson sob o falso nome de Bernod, dizendo-se amigo de Beautrelet. A resposta de Isidore foi sábia:

— Caro senhor, não existe apenas Lupin neste mundo, não existem apenas histórias de ladrões e detetives; existe também uma realidade que se chama bacharelado. Ora, eu devo me apresentar para os exames em julho. Estamos em maio. E eu não quero fracassar. Que diria o ótimo sujeito que é meu pai?

— Mas o que diria ele se você entregasse Arsène Lupin à justiça?

— Ora, há tempo para tudo. No próximo feriado...

— No dia de Pentecostes?

— Sim. Eu partirei sábado, 6 de junho, no primeiro trem. — E nessa mesma noite Arsène Lupin será preso.

— O senhor me dá um prazo até domingo? — perguntou, rindo, Beautrelet.

— Por que tanta demora? — tornou o jornalista, em tom compenetrado.

Essa confiança inexplicável, recém-nascida e já tão forte, todo mundo a sentia em relação ao rapaz, se bem que, na verdade, os acontecimentos só a justificassem até um certo ponto. Que importa! Acreditava-se. Da parte de Beautrelet nada parecia difícil. Esperava-se dele o que se poderia esperar, no mínimo, de algum fenômeno de clarividência e de intuição, de experiência e habilidade. Dia 6 de junho! A data estava estampada em todos os jornais. No dia 6 de junho, Isidore Beautrelet tomaria o trem para Dieppe e, à noite, Arsène Lupin seria preso.

— A menos que daqui até lá ele escape... — comentavam os últimos partidários do aventureiro.

— Impossível! Todas as saídas estão vigiadas.

— Só se ele tiver sucumbido aos ferimentos — retomavam os partidários de Lupin, que prefeririam a morte de seu herói à sua captura. A réplica era imediata:

— Ora, vamos, se Lupin estivesse morto, seus cúmplices o saberiam e Lupin seria vingado. Beautrelet mesmo já o disse.

E o 6 de junho chegou. Meia dúzia de jornalistas esperavam Isidore na estação de Saint-Lazare. Dois deles queriam acompanhá-lo na viagem, mas Beautrelet suplicou-lhes que não o fizessem.

Ele seguiu só. Sua cabina estava vazia. Bastante cansado por uma série de noites dedicadas aos livros, não tardou a dormir um sono pesado. Em sonhos, teve a impressão de que parava em várias estações e que diversas pessoas subiam e desciam do trem. Ao despertar, perto de Rouen, continuava só. Mas, sobre o encosto do banco oposto, uma grande folha de papel, presa por um alfinete ao tecido de cor cinza, estava bem diante de seus olhos. E nela, as seguintes palavras:

"Cada qual com seus negócios. Ocupe-se dos seus. Senão, pior para você."

Perfeito, disse para si Beautrelet, esfregando as mãos. As coisas vão mal para o adversário. Esta ameaça é tão estúpida quanto a do falso cocheiro. Que estilo! Logo se vê que não foi escrita por Lupin.

O trem mergulhou no túnel que precede a velha cidade normanda. Na estação, Isidore deu uma ou duas voltas pela plataforma para desenferrujar as pernas. Quando se dispunha a voltar para a cabina, deixou escapar um grito: ao passar perto da banca de jornais, havia lido distraidamente na primeira página de uma edição especial do *Journal de Rouen* as seguintes linhas, cujo apavorante significado subitamente lhe ocorreu:

"Urgente — Por um telefonema de Dieppe acabamos de saber que esta noite malfeitores penetraram no Castelo de Ambrumésy, amarraram e amordaçaram Senhorita de Gesvres e sequestraram Senhorita de Saint-Véran. Vestígios de sangue foram encontrados a quinhentos metros do castelo. As autoridades estão de posse de uma echarpe também manchada de sangue. Há motivos para se temer que a infeliz moça tenha sido assassinada?"

Isidore Beautrelet permaneceu imóvel até Dieppe. Curvado, os cotovelos apoiados nos joelhos e as mãos cobrindo o rosto, ele refletia. Em Dieppe alugou um carro. Na entrada de Ambrumésy encontrou o juiz, que confirmou a horrível notícia.

— O senhor não sabe nada além disso? — perguntou Beautrelet.

— Nada. Acabo de chegar.

Nesse momento, o sargento aproximou-se de Sr. Filleul e entregou-lhe um pedaço de papel amassado, rasgado e amarelado que acharam perto do local onde estava a echarpe. Sr. Filleul o examinou, depois entregou-o a Isidore, dizendo:

— Eis aqui algo que não nos ajudará muito em nossas pesquisas.

Isidore virou e revirou o pedaço de papel. Coberto de números, pontos e sinais:

$$2.1.1..2..\ 2.1..1..$$
$$1...2.2.\qquad .2.43.2..2.$$
$$.45..2.4...2..2.4..21$$
$$D\ \overline{DF}\ \square\ 19\ F+44\triangle\ 357\triangleleft$$
$$13.53..2\quad ..25.2$$

Capítulo 3
O CADÁVER

Por volta das seis da tarde, encerradas as providências, Sr. Filleul esperava, em companhia de seu escrivão, Sr. Brédoux, a carruagem que deveria reconduzi-los a Dieppe. O juiz parecia agitado e nervoso. Por duas vezes perguntou:

— Viu o jovem Beautrelet?

— Não, senhor juiz…

— Que diabo! Onde estará ele? Não foi visto durante o dia todo.

Subitamente teve uma ideia. Entregando sua pasta a Brédoux, deu a volta ao castelo rapidamente, e dirigiu-se para as ruínas.

Próximo à grande arcada, de bruços sobre o solo atapetado de longas agulhas de pinheiro, um dos braços dobrado sob a cabeça, Isidore parecia adormecido.

— Que aconteceu, meu jovem? Está dormindo?

— Não, apenas refletindo.

— Isso lá é hora de refletir! É preciso ver primeiro. Estudar os fatos, procurar indícios, estabelecer os pontos de referência. Depois, então, através da reflexão, coordena-se tudo e chega-se à verdade.

— Esse é o método usual… deve ser mesmo o certo. Mas eu tenho outro. Primeiro reflito, procuro, antes de tudo, encontrar a ideia geral do caso. Depois imagino uma hipótese razoável, lógica, de acordo com a ideia geral. Só então é que procuro ver se os fatos se adaptam à minha hipótese.

— Estranho método o seu! E bastante complicado!

— Método seguro, Sr. Filleul, enquanto o seu não o é.

— Ora, vamos, fatos são fatos.

— Com adversários comuns, sim. Mas desde que o inimigo tenha certa malícia, os fatos são os que ele escolhe. Esses famosos indícios sobre os quais o senhor baseia seu inquérito, o adversário pode dispô-los, livremente, segundo sua vontade. E quando se trata de um homem como Lupin, isso pode nos conduzir a grandes erros. O próprio Sholmes caiu na armadilha.

— Arsène Lupin está morto.

— Talvez. Mas sua quadrilha está aí mesmo. E discípulos de tal mestre são mestres também.

Sr. Filleul tomou Isidore pelo braço e, puxando-o consigo, disse:

— Palavras, rapaz. Eis o que é realmente importante, escute bem: Ganimard está, neste momento, retido em Paris. Só chegará daqui a alguns dias. Por outro lado, o Conde de Gesvres telegrafou a Herlock Sholmes, que prometeu colaborar no caso a partir da próxima semana. Não acha, meu rapaz, que haveria alguma glória em dizer a essas duas celebridades, no dia da sua chegada: "Sentimos muito, caros senhores, mas não pudemos esperar mais. A tarefa está encerrada"?

Era impossível alguém confessar sua impotência com ingenuidade maior que Sr. Filleul. Beautrelet reprimiu um sorriso e, fingindo ter sido iludido, respondeu:

— Confesso, senhor juiz, que não fui assistir ao inquérito de hoje, na esperança de que o senhor me comunicasse os resultados. Diga-me, o que descobriu?

— Pois bem: ontem à noite, às onze horas, os três policiais deixados de sentinela no castelo pelo Sargento Quevillon receberam dele um recado, chamando-os urgentemente para Ouville, onde se encontra o regimento. Montaram imediatamente seus cavalos e, quando lá chegaram...

— Constataram que haviam sido enganados, que a ordem era falsa e que nada havia a fazer senão voltar a Ambrumésy — adiantou Beautrelet.

— É o que fizeram, sob o comando do sargento. Tinham estado ausentes durante uma hora e, enquanto isso, o crime havia sido cometido.

— De que forma?

— Simples. Uma escada, trazida da granja, foi encostada no segundo andar. Depois, uma vidraça cortada, uma janela aberta e dois homens, munidos de uma lanterna, penetraram no quarto de Senhorita de Gesvres. E, antes que ela tivesse tempo de gritar, amordaçaram-na. Em seguida a amarraram com cordas e abriram de mansinho a porta do quarto onde dormia Senhorita de Saint--Véran. Senhorita de Gesvres ouviu um gemido abafado e, em seguida, o barulho de uma pessoa se debatendo. Um minuto depois ela avistou os dois homens levando sua prima, igualmente amarrada e amordaçada. Passaram diante dela e saíram pela janela. Exausta, aterrorizada, Senhorita de Gesvres desmaiou.

— Mas, e os cães? Sr. de Gesvres não havia comprado dois mastins?

— Foram encontrados mortos, envenenados.

— Mas por quem? Ninguém conseguia se aproximar deles!

— Mistério. O fato é que os dois homens atravessaram tranquilamente as ruínas e saíram pela famosa portinhola. Cruzaram o bosque, contornando as antigas carreteiras, e só a quinhentos metros do castelo, junto de uma árvore chamada o Grande Carvalho, é que eles pararam... e puseram em execução seu projeto.

— Se vieram com a intenção de matar a Senhorita de Saint-Véran, por que não o fizeram dentro do quarto?

— Não sei. Talvez o incidente que os levou a isso só tenha ocorrido ao saírem do castelo. Talvez a moça tenha conseguido se desamarrar. Para mim, a echarpe encontrada havia servido para amarrar seus pulsos. Em todo caso, foi perto do Grande Carvalho que eles a abateram. As provas que recolhi são irrefutáveis.

— Mas, e o corpo?

— Não foi encontrado, o que, aliás, não é de surpreender. A pista que segui me levou até a igreja de Varengeville, ao antigo cemitério suspenso no alto do penedo. Ali há um precipício, um abismo de mais de cem metros. Embaixo, os rochedos e o mar. Dentro de um ou dois dias a maré devolverá o corpo à praia.

— Evidentemente, tudo isso é bem simples.

— Sim, tudo é muito simples e não me embaraça. Lupin está morto. Seus cúmplices souberam disso e, para se vingarem, tal qual haviam escrito, assassinaram Senhorita de Saint-Véran. São fatos que não têm nem mesmo necessidade de serem conferidos. Mas, e Lupin?

— Lupin?

— Que fim ele levou? Provavelmente seus cúmplices levaram o cadáver, ao mesmo tempo em que raptavam a moça. Mas que prova temos disso? Nenhuma. Tampouco de sua permanência nas ruínas... ou de sua morte, ou vida. Aí é que está todo o mistério, meu caro Beautrelet. O assassinato de Senhorita Raymonde não é um desfecho. Pelo contrário, é uma complicação. O que se tem passado, há dois meses, no Castelo de Ambrumésy? Se nós não decifrarmos este enigma, outros virão e nos passarão a perna.

— E que dia vão chegar, esses outros?

— Quarta-feira... talvez terça...

Beautrelet pareceu fazer um cálculo, depois declarou:

— Senhor juiz, hoje é sábado. Preciso voltar ao liceu na segunda à noite. Pois bem, segunda de manhã, caso o senhor queira estar aqui às dez horas, eu lhe revelarei a chave do mistério.

— Realmente, Beautrelet?... Você acredita?... Tem certeza?

— Pelo menos, espero. — E agora, aonde é que você vai?

— Vou ver se os fatos se adaptam à ideia geral que começo a discernir.

— E se não se adaptarem?

— Bem, nesse caso os fatos é que estarão errados — respondeu, rindo, Beautrelet.

— Se isso se confirmar, terei que procurar fatos mais maleáveis. Até segunda, então.

— Até segunda.

Alguns minutos depois, Sr. Filleul viajava para Dieppe, enquanto Isidore, em uma bicicleta emprestada pelo Conde de Gesvres, pedalava pela estrada de Yerville e de Caudebec-en-Caux.

Havia um ponto sobre o qual o rapaz fazia questão de formar uma opinião segura, porque esse ponto lhe parecia ser, justamente, o mais fraco do inimigo. Não se faz desaparecer, facilmente, objetos da dimensão dos quatro Rubens. Eles tinham que estar em algum lugar. Se, no momento, era impossível encontrá-los, não seria possível descobrir o caminho pelo qual haviam desaparecido?

Beautrelet elaborou a seguinte hipótese: o carro havia, realmente, transportado os quatro quadros, mas antes de chegar a Caudebec tinham sido transferidos para outro carro, que atravessara o Sena acima ou abaixo de Caudebec.

Abaixo, a primeira barca era a de Quilleboeuf, muito frequentada e, consequentemente, perigosa. Acima havia a barca de La Mailleraie, grande burgo isolado, fora de toda e qualquer comunicação.

Por volta da meia-noite, Isidore havia atravessado as dezoito léguas que o separavam de La Mailleraie e batia à porta de uma hospedaria situada à beira do rio. Dormiu ali e, pela manhã, interrogou os marinheiros da barca. As listas de passageiros foram consultadas. Nenhum carro havia atravessado na quinta-feira, 23 de abril.

— Então, alguma carruagem? — insinuou Beautrelet. — Uma charrete? Ou uma carroça?

— Também não.

Durante toda a manhã Isidore procurou se informar. Já ia partir para Quilleboeuf quando o empregado da hospedaria lhe disse:

— Naquela manhã, quando eu chegava de minhas férias, bem que eu vi uma charrete. Só que ela não atravessou o rio.

— Não atravessou?

— Não. Colocaram sua carga numa espécie de barcaça, como eles dizem, que estava amarrada ao cais.

— E de onde vinha essa charrete?

— Oh, eu a reconheci perfeitamente. Era a do Sr. Vatinel, o charreteiro.

— Onde ele mora?

— Num lugarejo de Louvetot.

Beautrelet consultou seu mapa. Louvetot situava-se no entroncamento da estrada que ia de Yvetot a Caudebec, um pequeno caminho tortuoso que atravessava os bosques até La Mailleraie.

Somente às seis da tarde Isidore conseguiu descobrir, numa taberna, o Sr. Vatinel. Era um desses velhos normandos, sabidos, sempre com um pé atrás, que desconfiam de qualquer forasteiro, mas que não sabem resistir à atração de uma moeda de ouro e à influência de alguns goles.

— Bem, senhor, naquela manhã os homens do carro marcaram encontro comigo às cinco horas na encruzilhada. Eles me entregaram quatro grandes embrulhos, desse tamanhão. Um dos homens me acompanhou. E nós levamos a coisa até a barcaça.

— O senhor fala deles como se já os conhecesse.

— Claro que conhecia! Era a sexta vez que trabalhava para eles.

Isidore estremeceu.

— O senhor diz... a sexta vez? Desde quando?

— Todos os dias, antes daquele, ora! Mas era outra espécie de volume. Uns pedações de pedra... ou então coisas bem menores, que eles carregavam como se fosse o Santíssimo Sacramento. Ah! Nessas coisas aí ninguém podia tocar... Mas, o que é que o senhor tem? O senhor está todo pálido...

— Nada... é o calor...

Beautrelet saiu cambaleando. A alegria e o imprevisto da descoberta o deixaram zonzo.

Voltou tranquilamente, dormiu na aldeia de Varengeville, na manhã seguinte passou uma hora na prefeitura, com o bibliotecário, e depois retornou ao castelo. Uma carta o esperava, aos cuidados do senhor Conde de Gesvres. Continha as seguintes palavras:

"Segundo aviso. Cale a boca. Senão..."

— Bem — murmurou ele, vou ter que tomar algumas precauções para minha segurança pessoal. Senão, como dizem eles... Eram nove horas quando Beautrelet dirigiu-se até as ruínas. Deitou-se perto da arcada e fechou os olhos.

— Como é, rapaz? Está contente com suas buscas? — Era Sr. Filleul, que chegava na hora marcada.

— Mais ou menos, senhor juiz.

— O que quer dizer?

— Quero dizer que estou pronto a cumprir minha promessa, apesar desta carta não me agradar nem um pouco.

Mostrou a carta a Sr. Filleul.

— Ora, bobagens! Espero que isso não o impeça de...

— De lhe contar o que sei? Não, senhor juiz. Eu prometi, eu cumprirei. Antes de dez minutos saberemos... parte da verdade.

— Parte?

— Sim. A meu ver, o esconderijo de Lupin não constitui todo o problema. O resto veremos depois.

— Sr. Beautrelet, nada mais me espanta de sua parte. Mas como conseguiu descobrir?

— Oh, foi fácil. Lembra-se da carta de Sr. Harlington para Sr. Etienne de Vaudreix, ou melhor, Arsène Lupin?

— A carta interceptada?

— Sim. Nela há uma frase que sempre me intrigou. As palavras eram: "Assim que estejam em seu poder os quatro quadros de Sr. de Gesvres, queira enviá-los conforme combinado. O senhor poderá juntar o restante, caso o tenha conseguido, o que duvido bastante."

— Com efeito, era exatamente isso.

— O que seria esse restante? Um objeto de arte? Uma curiosidade? O castelo não oferecia nada de precioso além dos Rubens e das tapeçarias. Seriam joias? Existem poucas e de pouco valor. Então o quê? Por outro lado, poderíamos admitir que pessoas como Lupin, com uma habilidade tão prodigiosa, não conseguissem juntar à encomenda esse restante que haviam evidentemente proposto? Empreendimento difícil, é provável; excepcional, sem dúvida, mas possível, portanto certo, uma vez que Lupin o desejava.

— No entanto ele falhou; nada desapareceu — observou o juiz.

— Ele não falhou; alguma coisa desapareceu.

— Sim, os Rubens...

— Os Rubens e outra coisa. Algo que foi substituído por um idêntico, como foi feito com os Rubens. Algo muito mais extraordinário, mais raro e mais precioso do que os Rubens.

— O que foi, afinal? Você está me deixando curioso.

Enquanto andavam entre as ruínas, os dois homens tinham se dirigido à portinhola. Quando caminhavam ao longo da Chapelle-Dieu, Beautrelet estancou.

— O senhor quer mesmo saber, senhor juiz?

— Se quero!

Beautrelet trazia nas mãos uma bengala, um bastão sólido e nodoso. Bruscamente, com um golpe da bengala, fez saltar em pedaços uma das estatuetas que ornavam o portal da capela.

— Você está louco! — protestou Sr. Filleul, fora de si, precipitando-se para os pedaços da estatueta.

— Você é um louco! Este velho santo era admirável!

— Admirável! — repetiu Isidore, ao mesmo tempo em que, rodando o bastão, derrubava a Virgem Maria. Sr. Filleul lançou-se sobre Beautrelet, atracando-se com ele.

— Rapaz, não vou deixá-lo cometer...

Isidore livrou-se e um Rei Mago voou pelos ares; em seguida, um presépio com o Menino Jesus.

— Um movimento mais e eu atiro!

O Conde de Gesvres havia chegado e apontava um revólver. Beautrelet caiu na gargalhada.

— Atire, senhor conde... Atire como se estivesse num parque de diversões. Veja esse bom homem que segura a cabeça com as mãos.

E o São João Batista se espatifou.

— Oh! — protestou o conde, engatilhando o revólver. — Que profanação! Obras-primas, como essas!

— Falsas, senhor conde!

— Como? Que está dizendo? — gritou Sr. Filleul, enquanto desarmava o conde.

— Lixo, argamassa!

— Será possível?

— Massa porosa! Vazia! Puro nada! O conde abaixou-se e recolheu um caco de estatueta.

— Olhe bem, senhor conde... gesso! Gesso patinado, mofado, esverdeado como pedra antiga, mas gesso... moldes de gesso... eis o que resta das obras-primas... eis o que eles fizeram em poucos dias... eis o que Sr. Charpenais, o copista de Rubens, preparou há um ano. E segurando o braço de Sr. Filleul:

— Que acha, senhor juiz? Bonito, não? Não é imenso? Gigantesco? A capela gótica inteira roubada, pedra por pedra. Uma multidão de estatuetas capturadas e substituídas por bonecos de estuque. Um dos mais magníficos exemplos de uma época de arte incomparável, confiscado! A Chapelle-Dieu, enfim, roubada! Não é formidável?! Ah, senhor juiz, que gênio, esse homem!

— O senhor está entusiasmado demais, Sr. Beautrelet.

— Nunca nos entusiasmamos demais quando se trata de indivíduos dessa marca. Tudo o que ultrapassa a mediocridade deve ser admirado. E esse homem paira acima de tudo. Existe nesse roubo uma riqueza de concepção, uma força, uma potência, uma destreza, uma desenvoltura, que me arrepiam.

— Pena que ele esteja morto — caçoou Sr. Filleul, do contrário acabaria roubando as torres de Notre-Dame.

— Não zombe, senhor — falou Isidore levantando os ombros. — Mesmo morto, ele é capaz de emocioná-lo.

— Não o nego, Sr. Beautrelet, e confesso mesmo que não é sem uma certa dose de emoção que me preparo para contemplá-lo... Isto se seus camaradas não fizeram desaparecer o cadáver.

— Pode-se admitir, então — observou o Conde de Gesvres, que tenha sido ele a pessoa ferida por minha pobre sobrinha?

— Foi ele mesmo, senhor conde — garantiu Beautrelet. — Foi ele mesmo que tombou nas ruínas, atingido pela bala disparada por sua sobrinha. Foi ele quem ela viu levantar-se, cair novamente e arrastar-se em direção à grande arcada, para se levantar pela última vez. Por um verdadeiro milagre, que eu lhe explicarei daqui a pouco, ele alcançou este refúgio de pedra que viria a ser seu túmulo.

E, com a bengala, Isidore bateu na soleira da capela.

— O quê? Como? — exclamou Sr. Filleul admirado. — Seu túmulo?... Você acredita que esse impenetrável esconderijo...

— Encontra-se aqui, senhores.

— Mas nós vasculhamos tudo!

— Procuraram mal.

— Não existe esconderijo nenhum aqui — protestou Sr. de Gesvres. — Eu conheço bem a capela.

— Existe, sim, senhor conde. Vá até a prefeitura de Varengeville, onde estão recolhidos todos os papéis que se encontravam na antiga paróquia de Ambrumésy, e o senhor saberá, por esses papéis datados do século XVIII, que sob a capela existia uma cripta. Essa cripta pertencia certamente à capela romana, sobre cuja localização esta aqui foi construída.

— Mas como teria Lupin conhecido esse detalhe? — perguntou Sr. Filleul.

— Muito simplesmente através dos trabalhos que ele teve de executar para roubar a capela.

— Ora, Beautrelet, você está exagerando. Ele não roubou toda a capela. Por exemplo, nenhuma dessas pedras da base foi trocada.

— Evidentemente que não. Ele só moldou aquilo que tinha valor artístico. As pedras lavradas, as esculturas, as estatuetas, um tesouro completo de colunetas, de ogivas cinzeladas. Não se interessou pela base da construção. As fundações permaneceram.

— Por conseguinte, Sr. Beautrelet, Lupin não pode ter descido até a cripta.

Nesse momento, Sr. de Gesvres, que havia chamado um empregado, voltava com a chave da capela. Logo, ele abriu a porta e os três homens entraram. Após um pequeno exame, Beautrelet continuou:

— As lajes do solo, naturalmente, foram respeitadas. Mas vê-se facilmente que o altar-mor não passa de moldagem. Ora, geralmente a escada que desce para as criptas abre-se diante do altar-mor e passa por baixo dele.

— Daí o senhor conclui...

— Daí concluo que foi ao trabalhar ali que Lupin encontrou a cripta.

Com a ajuda de uma picareta que o conde mandou buscar, Beautrelet atacou o altar. Pedaços de gesso saltaram para a direita e para a esquerda.

— Caramba! — murmurou Sr. Filleul. — Que pressa que eu tenho de saber!

— Eu também — disse Beautrelet, cujo rosto estava pálido de expectativa.

Acelerou os golpes. De repente, a picareta, que até então não havia encontrado resistência, chocou-se contra um material mais duro e ricocheteou. Ouviu-se um ruído de desmoronamento, e o que restava do altar precipitou-se no vazio, juntamente com o bloco de pedra atingido pela picareta. Beautrelet inclinou-se, acendeu um fósforo e iluminou a cavidade.

— A escada começa um pouco mais adiante do que eu imaginava, quase sob as lajes da entrada. Posso avistar os últimos degraus.

— É muito profunda?

— Três ou quatro metros... Os degraus são muito altos... e faltam alguns.

— Não é provável que durante a curta ausência dos três policiais, enquanto Senhorita de Saint-Véran era raptada, os cúmplices de Lupin tenham tido tempo de retirar seu cadáver deste subterrâneo. Aliás, para que eles o teriam feito? Não, para mim ele está lá — sentenciou o juiz.

Um empregado trouxe uma escada, que Beautrelet introduziu na escavação. Tateando, apoiou-a entre os escombros. Em seguida, segurando-a firmemente, convidou:

— Quer descer, Sr. Filleul?

O juiz aventurou-se, munido de uma vela. O Conde de Gesvres logo o seguiu. Por sua vez, Beautrelet colocou o pé no primeiro degrau.

Havia dezoito, que ele contou maquinalmente, enquanto seus olhos examinavam a cripta, onde a luz da vela lutava contra as pesadas trevas. Logo, um cheiro violento, nauseabundo, chegou às narinas dos três homens. Era um desses cheiros de podridão cuja lembrança provoca ânsias de vômito.

Súbito, alguém, tremendo, agarrou-se ao ombro de Beautrelet.

— Que foi?... O que houve?

— Beautrelet... — balbuciou o juiz. E não conseguiu dizer mais nada, dominado pelo pavor e pelas náuseas.

— Vamos, senhor juiz, acalme-se. — Beautrelet... ele está ali...

— Hein?

— Sim... Havia alguma coisa debaixo da pedra grande que se soltou do altar... eu empurrei a pedra... e toquei... Oh! Eu nunca poderei esquecer!

— Onde está?

— Deste lado... Sente o cheiro? Olhe... veja... Segurou a vela e projetou a luz sobre uma forma estendida no chão.

— Oh! — exclamou Beautrelet horrorizado.

Os três homens se inclinaram. O cadáver estava deitado, seminu, magro, apavorante. A carne esverdeada, com tonalidades de cera mole, aparecia entre as roupas esfarrapadas. O mais horrível, o que havia arrancado o grito de terror do rapaz, era a cabeça; a cabeça que acabara de ser esmagada pelo bloco de pedra. Era uma massa disforme, horrenda, onde nada mais se distinguia. Quando os olhos dos três homens se acostumaram à escuridão, viram que toda aquela carne fervilhava abominavelmente.

Beautrelet subiu a escada em quatro passadas e lançou-se para a luz do dia, para o ar livre. Sr. Filleul foi encontrá-lo deitado de bruços, com as mãos coladas ao rosto.

— Meus cumprimentos, Beautrelet. Além da descoberta do esconderijo, existem dois pontos que me permitem comprovar a exatidão de suas informações. Para começar, o homem em quem Senhorita de Saint-Véran atirou era realmente Arsène Lupin, como você disse desde o início. Em segundo lugar, era realmente com o nome de Etienne de Vaudreix que ele vivia em Paris. A roupa está marcada com as iniciais E. V. Parece que essa prova é suficiente, não é verdade?

Isidore não se mexia.

— O senhor conde saiu para buscar o Dr. Jouet, que fará as verificações de praxe. Para mim, a morte deve datar de pelo menos oito dias. O estado de decomposição do cadáver... Mas você parece não estar escutando...

— Sim, estou.

— O que estou dizendo apoia-se em razões decisivas. Por exemplo...

E Sr. Filleul continuou a argumentar, sem obter a menor das atenções. A volta de Sr. de Gesvres interrompeu o monólogo.

O conde trazia duas cartas. Uma delas anunciava a chegada de Herlock Sholmes para o dia seguinte.

— Ótimo! — exclamou, contente, Sr. Filleul. — O Inspetor Ganimard também vai chegar. Será delicioso.

— Esta outra carta é sua, senhor juiz — disse o conde.

— Isso está cada vez melhor — observou Sr. Filleul após haver lido a carta. — Decididamente, esses senhores não terão muito que fazer. Beautrelet, estão me prevenindo de Dieppe que pescadores de camarões encontraram esta manhã, entre os rochedos, o cadáver de uma jovem.

Beautrelet estremeceu:

— Que diz o senhor?... Um cadáver?...

— De uma jovem... um cadáver horrivelmente mutilado, dizem, e cuja identidade teria sido impossível estabelecer se não houvesse no braço direito uma pulseirinha de ouro, muito fina, que se incrustou na pele intumescida. Ora, Senhorita de Saint-Véran usava uma correntinha de ouro no braço direito. Trata-se, evidentemente, de sua infeliz sobrinha, senhor conde, que terá sido arrastada pelo mar até esse local. Que acha disso, Beautrelet?

— Nada... nada... ou, por outra, sim... tudo se encadeia, como o senhor pode notar. Nada mais falta para provar meus argumentos. Todos os fatos, um a um, mesmo os mais contraditórios, mesmo os mais desconcertantes, vêm apoiar a hipótese que imaginei desde o primeiro instante.

— Não estou compreendendo...

— O senhor não tardará a compreender. Lembre-se de que eu lhe prometi toda a verdade.

— Mas parece...

— Tenha um pouco de paciência. Até agora o senhor não teve razão de se queixar de mim. O dia está bonito. Passeie, almoce no castelo, fume seu cachimbo. Eu estarei de volta lá pelas quatro ou cinco horas. Quanto ao liceu... Ora, não importa, tomarei o trem da meia-noite.

Quando chegaram aos fundos do castelo, Beautrelet montou numa bicicleta e se afastou.

Em Dieppe ele foi à redação do jornal *La Vigie*, onde pediu para ver os exemplares dos últimos quinze dias. Depois partiu para a cidadezinha de Envermeu, situada a dez quilômetros dali. Lá, Beautrelet conversou com o prefeito, com o padre e com o guarda-florestal. Bateram três horas no sino da igreja. A investigação estava encerrada.

Voltou cantando alegremente. Suas pernas impulsionavam alternadamente os pedais, num ritmo forte e seguro. Seu peito se abria amplamente, respirando o ar fresco que o mar soprava. Volta e meia se comprazia em clamar aos céus o seu triunfo, pensando na meta que perseguia e em seus esforços bem-sucedidos.

Ambrumésy surgiu. Isidore deixou-se deslizar com toda a rapidez pela ladeira que antecedia a entrada do castelo. As árvores que margeavam o caminho, em seculares fileiras quádruplas, pareciam correr a seu encontro e logo desaparecer após sua passagem. Subitamente deixou escapar um grito: tinha avistado uma corda estendida de uma árvore a outra, atravessando a estrada.

O veículo, ao chocar-se, estancou de imediato. Beautrelet foi projetado para a frente com violência e teve a impressão de que só a sorte, uma sorte miraculosa, o fizera evitar um amontoado de pedras onde sua cabeça deveria se quebrar.

Por alguns segundos ficou atordoado. Depois, todo machucado, com os joelhos feridos, começou a examinar o local. Um pequeno bosque estendia-se à direita, por onde, sem dúvida nenhuma, o agressor tinha fugido. Beautrelet desamarrou a corda. Na árvore do lado esquerdo, em volta da qual a corda estava amarrada, havia um papelzinho preso por um barbante. Desdobrou-o e leu:

"Terceiro e último aviso."

Retornou ao castelo, fez algumas perguntas aos empregados e foi juntar-se ao juiz numa sala do andar térreo, no final da ala direita, onde Sr. Filleul tinha o hábito de ficar, durante seu trabalho. O juiz rabiscava algo. O escrivão estava sentado diante dele. A um sinal, o homem se retirou, deixando Sr. Filleul a sós com Isidore.

— Que aconteceu, Beautrelet? Suas mãos estão sangrando!

— Não foi nada, não foi nada — respondeu o rapaz. — Uma simples queda provocada por esta corda, que foi esticada na ladeira, à minha passagem. Eu lhe pediria apenas que notasse que ela provém do castelo. Há pouco menos de vinte minutos ela servia para estender roupa, perto da lavanderia.

— Será possível?

— Senhor juiz, eu estou sendo vigiado por alguém que está aqui dentro, que me vê, me ouve e que, minuto após minuto, assiste a meus atos e conhece minhas intenções.

— Você acha?

— Sim. Agora o senhor tem que descobrir essa pessoa, o que não lhe dará muito trabalho. E agora vou dar-lhe as explicações que prometi. Andei mais rápido do que meus adversários pensavam, e estou certo de que eles, também, irão agir com vigor. O círculo se aperta em volta de mim. Tenho o pressentimento de que o perigo se aproxima.

— Vamos, Beautrelet...

— Bem, veremos. Tenho que andar rápido. Para começar, uma pergunta sobre uma questão que desejo esclarecer de uma vez por todas. O senhor não falou com ninguém a respeito desse documento que o Sargento Quevillon encontrou e lhe entregou em minha presença?

— Não... a ninguém. E você dá alguma importância a isso?

— Grande importância. É uma ideia que tive, que, aliás, não repousa sobre prova alguma, porque até agora não consegui decifrar esse documento. Falo sobre ele para não voltar ao assunto.

Beautrelet pôs sua mão sobre a do juiz e disse em voz baixa:

— Não fale... Alguém está nos ouvindo... lá fora...

O cascalho rangeu. Beautrelet correu para a janela e debruçou-se.

— Não há mais ninguém... Mas o canteiro foi pisado... Será fácil distinguir as pegadas.

Fechou a janela e se sentou de novo.

— O inimigo não está mais tomando precauções... Não tem mais tempo para isso... Ele também sente que o tempo urge. Tenho que me apressar, já que eles não querem que eu fale.

Colocou sobre a mesa o documento e observou:

— Neste papel, fora os pontos, só há números. Nas três primeiras linhas, bem como na quinta — as únicas que devemos estudar, pois a quarta parece de natureza completamente diversa, não há nenhum número superior a 5. Há muitas probabilidades de que cada um desses números represente uma das cinco vogais, dentro da ordem alfabética. Vamos escrever o resultado.

$$2.1.1..2..\;2.1..1..$$
$$1...2.2.\qquad.2.43.2..2.$$
$$.45..2.4...2..2.4..21$$
$$D\;\overline{DF}\;\square\;19\;F+44\;\triangle\;357\;\triangle$$
$$13.53..2\qquad..25.2$$

Escreveu, numa folha à parte:

```
e . a . a . . e . . e . a . . a . .
a . . . e . e .         . e . oi . e . . e .
. ou . . e . o . . . e . . e . o . . e .
```

$$D\;\overline{DF}\;\square\;19\;F+44\;\triangle\;357\;\triangle$$

ai . ui . . e   . . eu . e

Depois continuou:

— Como vê, isso não dá grande coisa. A chave é ao mesmo tempo muito fácil, já que se contentaram em substituir vogais por números e consoantes por ponto. É muito difícil, para não dizer impossível, já que não se deram ao trabalho de dificultar mais o problema.

— É, de fato, bastante obscuro.

— Vamos tentar desvendar. A segunda linha está dividida em duas partes, e a segunda parte apresenta-se de tal maneira que parece bastante provável que forme uma palavra. Se substituirmos agora os pontos por consoantes, concluímos, após algumas tentativas, que as únicas consoantes que podem, logicamente, servir de apoio às vogais não poderão produzir, pela lógica, senão uma palavra: *demoiselleš*, ou seja, senhoritas.

— Sim. Noto ainda uma solução de continuidade no meio da última linha. Se faço o mesmo trabalho no início da linha, vemos que entre os dois ditongos *ai* e *ui*, a única consoante que pode substituir o ponto é um *g* e que, ao formar o começo dessa palavra *aigui*, é natural e indispensável que eu chegue, com os dois pontos seguintes e o *e* final, à palavra *aiguille*, ou seja, *agulha*.

— Com efeito, a palavra *agulha*!

— Finalmente, para formar a última palavra, tenho três vogais e três consoantes. Experimento todas as letras, uma após outra, e partindo do princípio de que as duas primeiras são consoantes, constato que quatro palavras se podem adaptar ao caso: as palavras *fleuve, preuve, pleure e creuse* (rio, prova, chora e oca). Elimino as três primeiras, já que não têm relação nenhuma com a palavra *agulha*, e guardo a palavra *oca*.

— O que forma *agulha oca*. Admito que a solução parece correta, mas em que pode nos adiantar?

— Em nada — respondeu Beautrelet, pensativamente. — Em nada, por enquanto. Mais tarde, veremos. Tenho a impressão de que muitas coisas estão incluídas no acoplamento enigmático dessas duas palavras: *agulha oca*. O que me interessa agora é o material de que é feito o documento, o papel que foi utilizado... Fabrica-se ainda esse tipo de pergaminho meio granulado? E essa cor de marfim... essas dobras... essas quatro dobras quase cortadas pelo uso... e veja essas marcas de lacre na parte de trás.

Beautrelet foi interrompido bem nessa hora. Era o escrivão Brédoux que abria a porta e anunciava a súbita chegada do procurador-geral. Sr. Filleul levantou-se.

— O senhor procurador está lá embaixo?

— Não, senhor juiz. Ele não desceu da carruagem. Está apenas de passagem e pede que o senhor faça a gentileza de encontrá-lo junto à grade do jardim. Ele deseja apenas lhe dar uma palavrinha.

— É curioso — murmurou Sr. Filleul.

— Enfim... vamos ver. Com licença, Beautrelet, volto já.

Ouviu-se o som de seus passos que se afastavam. O escrivão, então, fechou a porta, virou a chave e guardou-a no bolso.

— Que é isso? — exclamou Beautrelet, surpreso. — Que está fazendo? Por que trancou a porta?

— Assim ficaremos mais à vontade para conversar — respondeu Brédoux.

Beautrelet correu para a outra porta, que dava para um cômodo vizinho. Tinha entendido. O cúmplice era Brédoux, o próprio escrivão do juiz.

— Não vá machucar a mão, meu jovem amigo. A chave dessa porta também está comigo — zombou Brédoux.

— Ainda resta a janela! — gritou Beautrelet.

— Tarde demais! — E Brédoux plantou-se diante dela, empunhando o revólver.

Todas as saídas estavam cortadas. Nada mais havia a fazer a não ser defender-se do inimigo, que se desmascarava com uma audácia tão brutal. Tomado de um sentimento de angústia até então desconhecido, Isidore cruzou os braços.

— Bem... — resmungou o escrivão, agora sejamos breves.

Olhou o relógio.

— Sr. Filleul vai até a grade do jardim. Na grade não encontrará ninguém, muito menos o procurador. Então ele voltará. Isso nos dá aproximadamente quatro minutos. Preciso de um minuto para escapar por esta janela, fugir pela portinhola das ruínas e saltar sobre a motocicleta que me espera. Restam então três minutos. Isso basta.

Era um indivíduo fisicamente engraçado, que equilibrava sobre pernas muito longas e finas um tronco enorme, redondo como o corpo de uma aranha e com braços imensos. O rosto ossudo e a testa estreita e baixa indicavam uma obstinação um tanto estúpida.

Beautrelet cambaleou, sentindo as pernas bambas. Teve que sentar-se.

— Fale. O que deseja?

— O papel. Há três dias que o estava procurando.

— Não está comigo.

— Você mente. Quando entrei, eu o vi guardá-lo na carteira.

— E depois?

— Depois você vai prometer ficar bem bonzinho. Você anda nos chateando. Deixe-nos em paz e meta-se com a sua vida. Nossa paciência está chegando ao fim.

Brédoux tinha se aproximado. Com o revólver sempre apontado para o rapaz, falava contidamente, martelando as sílabas, acentuando-as com incrível energia. O olhar era duro, o sorriso cruel. Beautrelet estremeceu. Era a primeira vez que experimentava a sensação de perigo. E que perigo! Sentia-se diante de um inimigo implacável, de uma força cega e irresistível.

— E depois? — perguntou com voz estrangulada.

— Depois? Nada... você está livre.

Após um minuto de silêncio, Brédoux continuou:

— Só resta um minuto... Decida-se... Vamos, rapaz, nada de bobagens!... Nós somos mais fortes... Depressa, o papel!

Isidore não se mexia. Estava lívido, aterrorizado, mas no entanto controlado e lúcido, apesar dos nervos arrasados. A vinte centímetros de seus olhos abria-se o buraco negro de um cano de revólver. O dedo recurvado pesava, visivelmente, no gatilho. Bastaria um pequeno esforço e...

— O papel... — repetia Brédoux — senão... — Está aqui — disse Beautrelet. Tirou do bolso a carteira e entregou ao escrivão.

Ótimo! Somos razoáveis. Decididamente você é um sujeito aproveitável... Um pouco medroso, mas tem bom senso. Vou falar de você com os camaradas. Agora, adeus.

Guardou o revólver e virou o trinco da janela. Ouviu-se um barulho no corredor.

— Adeus! — disse novamente. — Bem na hora. Mas uma ideia o deteve. Com um gesto rápido, verificou o conteúdo da carteira.

— Desgraçado! — exclamou rangendo os dentes. — O papel não está aqui! Você me enganou!

Saltou para dentro da sala. Dois tiros ressoaram. Isidore tinha sacado sua arma e atirado.

— Errou, garoto! — gritou Brédoux. — Sua mão está tremendo... Você está com medo...

Agarraram-se num corpo-a-corpo e rolaram pelo chão. Alguém batia violentamente na porta.

Isidore praguejou ao ser dominado pelo adversário. Era o fim. Um punho levantou-se armado de uma faca e abateu-se sobre ele. Uma dor violenta queimou-lhe o ombro. Largou o adversário.

Teve a impressão de que lhe revistavam o bolso interior do casaco e que retiravam o documento. Depois, através do véu que lhe encobria os olhos, viu o homem saltar pela janela.

Os mesmos jornais que na manhã seguinte relatavam os últimos episódios ocorridos no Castelo de Ambrumésy, as falsificações da capela, a descoberta dos cadáveres de Arsène Lupin e de Raymonde e, finalmente, a tentativa de assassinato de Beautrelet por Brédoux, esses mesmos jornais davam as seguintes notícias:

O desaparecimento de Ganimard e o sequestro, em pleno dia, no coração de Londres, quando se aprontava para tomar o trem para Douvres, de Herlock Sholmes.

Assim, a quadrilha de Arsène Lupin, por um momento desorganizada pela extraordinária engenhosidade de um garoto de dezessete anos, retomava a ofensiva. E no primeiro golpe saía vitoriosa em todo o campo e em toda a linha. Os dois grandes adversários de Lupin — Sholmes e Ganimard — estavam suprimidos. Beautrelet, fora de combate. Não restava mais ninguém para lutar contra tais inimigos.

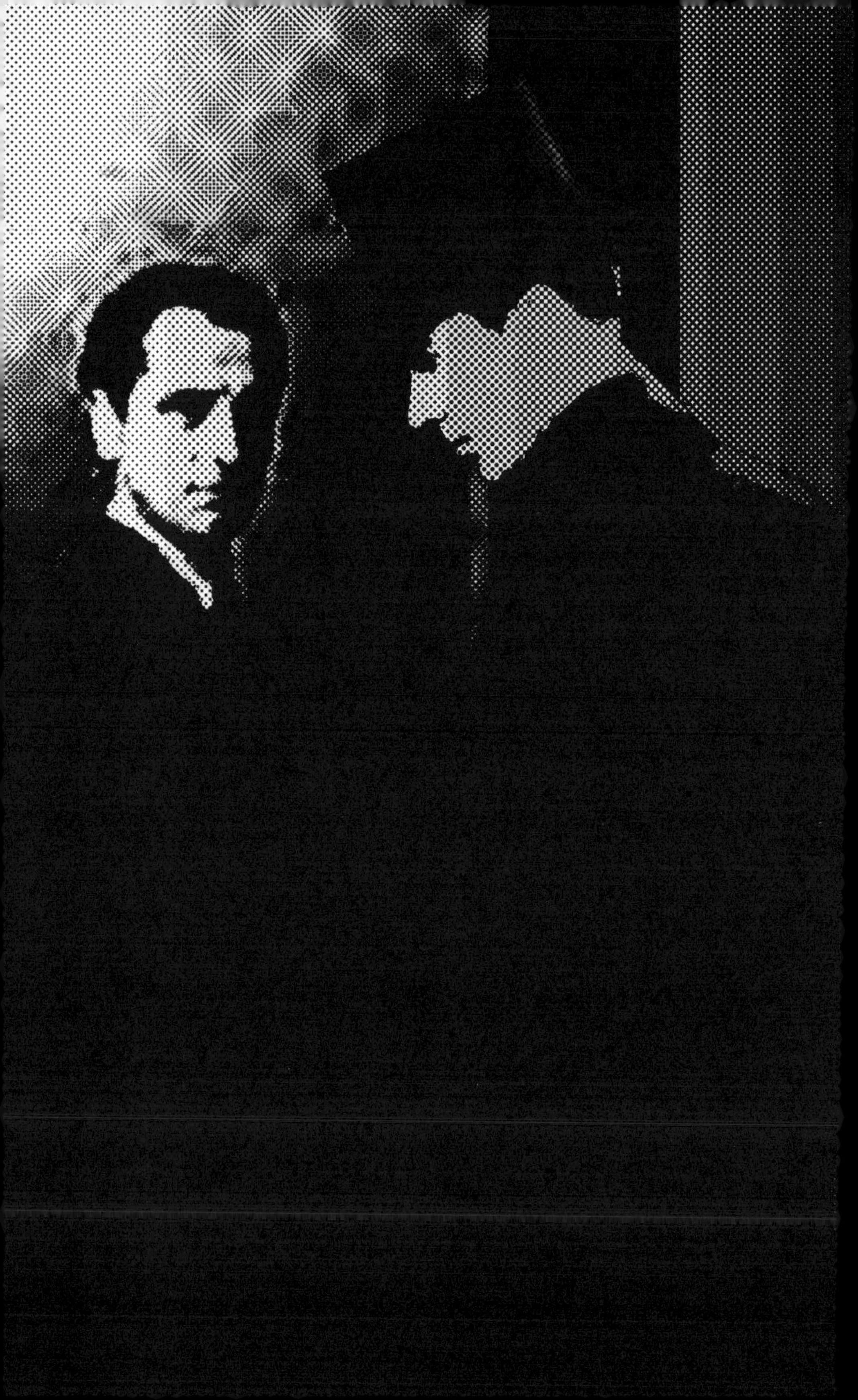

Capítulo 4
CARA A CARA

Certa noite, véspera de 14 de julho, eu havia dispensado meu criado. Fazia um calor que prenunciava tempestade, e eu não sentia a menor vontade de sair. Com as janelas de meu balcão abertas, a lâmpada de trabalho acesa, instalei-me numa poltrona e, não tendo ainda lido os jornais, comecei a dar uma olhada neles.

Falavam de Arsène Lupin. Depois da tentativa de assassinato de que fora vítima o pobre Isidore Beautrelet, não se passara um dia sem que os jornais tratassem do caso de Ambrumésy. Uma coluna lhe era diariamente consagrada. Nunca a opinião pública se emocionara tanto por uma coisa. Sr. Filleul, que decididamente aceitava com meritória boa-fé seu papel subalterno, tinha narrado a seus entrevistadores as façanhas de seu jovem conselheiro durante os três memoráveis dias, de forma que o público podia, assim, entregar-se às suposições mais temerárias.

Especialistas e técnicos do crime, romancistas e dramaturgos, magistrados e antigos chefes da segurança, famosos detetives aposentados e candidatos a Herlock Sholmes, cada qual tinha sua teoria e a expunha em copiosos artigos. Refaziam e completavam a investigação. E tudo isso baseado na palavra de um rapaz, Isidore Beautrelet, estudante de retórica no Liceu Janson-de-Sailly.

Uma vez que já se estava de posse de todos os elementos da verdade, qual era o mistério? Já se conhecia o esconderijo onde Arsène Lupin se refugiara e agonizara. Sobre isso não havia dúvidas. O Dr. Delattre, sempre escudado atrás de seu segredo profissional e sempre se recusando a depor, havia no entanto confessado a alguns íntimos que era realmente uma cripta o lugar a que fora conduzido para tratar de um ferido. Ferido esse que lhe haviam apresentado com o nome de Arsène Lupin. E como nessa mesma cripta haviam encontrado o cadáver de Etienne de Vaudreix, que era o próprio Arsène Lupin, como ficara provado no inquérito, a identidade de Arsène Lupin com a do ferido estava, assim, mais uma vez demonstrada.

Com Lupin morto e o cadáver de Senhorita de Saint-Véran reconhecido, graças à pulseirinha que usava, o drama estava encerrado.

Mas não estava. Não estava para ninguém, já que Beautrelet havia declarado o contrário. Não se sabia por que não estava acabado. Segundo dizia o rapaz, o mistério permanecia intocado. O testemunho da realidade não prevalecia contra a afirmação de um Beautrelet. Havia alguma coisa que se ignorava, e ninguém duvidava de que Isidore estivesse em condições de explicar esse algo.

Os primeiros boletins de saúde enviados pelos médicos de Dieppe, aos quais o conde confiara o doente, foram aguardados com muita ansiedade! Que desolação tomou conta de todos nos primeiros dias, quando se pensou que a vida de Beautrelet estivesse em perigo! E que entusiasmo, na manhã em que os jornais anunciaram que nada mais havia a recear! O público se apaixonava pelos menores detalhes. Enternecia-se ao sabê-lo cuidado pelo seu velho pai, e admirava-se com a devoção de Senhorita de Gesvres, que passava as noites à cabeceira do ferido.

Depois veio a convalescença rápida e cheia de alegria. Finalmente ia-se saber! Ia-se saber aquilo que Beautrelet havia prometido revelar a Sr. Filleul e as palavras definitivas que a faca do criminoso o impedira de pronunciar. E saber-se-ia também tudo aquilo que, além do drama propriamente dito, continuava impenetrável ou inacessível aos esforços da justiça.

Com Beautrelet livre, curado de seus ferimentos, ter-se-ia alguma informação segura a respeito de Sr. Harlington, o enigmático cúmplice de Arsène Lupin que continuava detido na prisão da Santé. Saber-se-ia que fim tinha levado o escrivão Brédoux, cúmplice de Lupin, cuja audácia havia sido verdadeiramente espantosa.

Beautrelet livre, poder-se-ia ter uma ideia precisa a respeito do desaparecimento de Ganimard e do sequestro de Sholmes. Como fora possível a execução de dois atentados tão graves? Os detetives ingleses, tanto quanto seus colegas da França, não possuíam o menor indício a respeito. No domingo de Pentecostes, Ganimard não havia chegado em casa, na segunda também não, e nem tampouco seis semanas depois.

Em Londres, na segunda-feira de Pentecostes, às quatro horas da tarde, Herlock Sholmes tomava um táxi para a estação ferroviária. Mal havia entrado no carro já tentava descer, possivelmente advertido do perigo. Logo, porém, dois indivíduos subiram no carro, pela direita e pela esquerda, desarmaram-no e o mantiveram entre eles, ou melhor, debaixo deles, visto a exiguidade do carro. E tudo isso diante de dez testemunhas que não tiveram tempo de intervir. E depois? Depois, nada. Não se sabia de mais nada.

Talvez, também, por Beautrelet, haveria a explicação completa a respeito do documento, o tal papel misterioso a que o escrivão Brédoux atribuía tanta importância, a ponto de tentar recuperá-lo a golpes de faca. O caso da agulha oca, como o intitulavam os incontáveis Édipos que, debruçados sobre algarismos e pontos, tentavam encontrar um significado... A agulha oca! Associação desconcertante de duas palavras, enigma incompreensível proposto por um pedaço de papel do qual até mesmo a procedência era desconhecida! Seria uma expressão insignificante? Um quebra-cabeça de estudante rabiscado num canto de folha? Ou seriam palavras mágicas, através das quais toda a grande aventura de Arsène Lupin tomaria seu verdadeiro sentido? Ninguém sabia nada.

Mas logo se saberia. Havia vários dias que os jornais anunciavam a chegada de Beautrelet. A luta estava prestes a recomeçar, e desta vez seria implacável por parte do jovem, que ardia de impaciência por ir à forra.

E foi exatamente seu nome numa manchete que atraiu minha atenção. O *Grand Journal* exibia no alto da página, em duas colunas, a seguinte nota:

"Obtivemos de Sr. Isidore Beautrelet o privilégio de suas primeiras revelações. Amanhã, quarta-feira, antes mesmo que a justiça seja informada, o Grand Journal publicará a verdade integral sobre o drama de Ambrumésy."

— Isso promete, hein? Que acha, meu caro? — Sobressaltei-me em minha poltrona. Perto de mim, numa cadeira, havia alguém, alguém que eu não conhecia.

Levantei-me e procurei uma arma com os olhos. Mas como a atitude do desconhecido parecia totalmente inofensiva, contive-me e me aproximei dele.

Era um moço, de rosto enérgico, cabelos compridos e louros, e cuja barba, de tonalidade um pouco ruiva, se dividia em duas pontas curtas. Seu traje lembrava os trajes sombrios dos padres ingleses. Toda a sua pessoa tinha, aliás, algo de austero e grave, que inspirava respeito.

— Quem é o senhor? — perguntei.

Como ele não respondesse, insisti:

— Quem é o senhor? Como entrou aqui? O que veio fazer?

Ele me olhou e disse:

— Não me reconhece? — Não... não... — Ah! Mas isso é realmente curioso!... Pense bem... um de seus amigos... um amigo de um gênero um pouco especial...

Segurei seu braço energicamente.

— Você está mentindo!... Você não é quem diz ser!... Não é verdade!...

— Então por que pensa mais especialmente naquele, que em outro? — replicou o homem rindo.

Aquele riso! Aquele riso jovem e claro, cuja ironia tantas vezes me divertira. Estremeci. Seria possível?

— Não, não — protestei numa espécie de pânico... — Não pode ser!...

— Não pode ser que seja eu porque estou morto, e porque você não acredita em fantasmas, não é?

Riu de novo.

— E por acaso eu sou daqueles que morrem? Morrer assim, com uma bala nas costas, disparada por uma garota? Francamente, é me julgar muito mal! Como se eu consentisse em tal fim!

— Então é você mesmo! — balbuciei, ainda incrédulo e, contudo, emocionado. — Não consigo reconhecê-lo...

— Nesse caso — disse ele alegremente, posso ficar tranquilo. Se o único homem que já me viu com minha aparência verdadeira não me reconhece mais, qualquer pessoa que me veja como sou hoje também não me reconhecerá quando me vir com aparência real... se é que eu tenho uma aparência real.

Eu reconhecia sua voz, agora que ele não disfarçava mais o timbre, e reconhecia também seus olhos, a expressão de seu rosto, toda a sua atitude e todo o seu ser através da aparência em que se envolvera.

— Arsène Lupin — murmurei.

— Sim, Arsène Lupin — exclamou, levantando-se. — O verdadeiro e único Lupin, de volta do reino das sombras, pois parece que eu agonizei e faleci numa cripta. Arsène Lupin vivo, com toda sua vitalidade, agindo com toda a sua vontade, feliz e livre, e mais do que nunca resolvido a desfrutar dessa feliz independência, num mundo onde até agora ele só encontrou favores e privilégios.

Desta vez quem riu fui eu.

— É... É você mesmo, e mais alegre do que na última vez que o vi, no ano passado...

Eu fazia alusão à sua última visita, visita que se seguira à famosa aventura do diadema, seu casamento desfeito, sua fuga com Sônia Krichnoff e a horrível morte da jovem russa. Naquele dia eu havia visto um Arsène Lupin diferente, fraco, abatido, com os olhos cansados de chorar, em busca de um pouco de simpatia e carinho...

— Cale-se — disse ele. — O passado está longe.

— Mas faz apenas um ano — observei.

— Dez anos — afirmou ele. — Os anos de Arsène Lupin valem por dez dos outros.

Não insisti e mudei de assunto:

— Como é que você entrou aqui, afinal?

— Como todo mundo, pela porta! Depois, não vendo ninguém, atravessei a sala, segui o balcão e pronto.

— Vá lá, mas e a chave da porta?

— Não existem portas para mim, você sabe. Precisava de seu apartamento, e por isso entrei.

— Às suas ordens. E... devo sair?

— Oh! De modo algum! Você não será demais. Posso mesmo lhe adiantar que a noite será muito interessante.

— Está esperando alguém?

— Sim, marquei um encontro aqui às dez horas.

Puxou o relógio.

— Dez horas. Se o telegrama chegou, a pessoa não deve tardar.

Nisso, a campainha soou no vestíbulo.

— Que é que eu lhe disse? Não, não se incomode, eu irei atender.

Diabo! Com quem ele poderia ter marcado encontro? E a que cena, dramática ou burlesca, iria eu assistir? Para que o próprio Lupin a considerasse digna de interesse, a situação devia ser excepcional.

Após um instante ele voltou e, afastando-se, deixou entrar um rapaz magro e alto, com o rosto muito pálido.

Sem uma palavra e com gestos meio solenes que me impressionaram, Lupin acendeu todas as lâmpadas. A sala ficou inundada de luz. Aí os dois homens se olharam profundamente, como se com a força de seus olhos ardentes eles pudessem penetrar um no outro. Era um espetáculo impressionante vê-los assim, graves e silenciosos. Mas quem seria, afinal, o recém-chegado?

Quando eu estava a ponto de adivinhar, pela semelhança que ele apresentava com uma fotografia recentemente publicada, Lupin virou-se para mim.

— Caro amigo, apresento-lhe Sr. Isidore Beautrelet.

E, em seguida, dirigindo-se ao rapaz:

— Devo lhe agradecer, Sr. Beautrelet, primeiramente por ter consentido, a um pedido meu, em retardar suas revelações até depois desta entrevista; e, em segundo lugar, por ter aceitado este encontro com tão boa vontade.

Beautrelet sorriu.

— Eu lhe pediria que notasse que minha boa vontade consiste sobretudo em obedecer às suas ordens. A ameaça que o senhor me fez na carta em questão era tanto mais peremptória, quanto não se dirigia à minha pessoa, mas à pessoa de meu pai.

— Cada qual age como pode. É preciso se servir dos meios que se tem à mão. Eu sabia, por experiência, que a sua própria segurança lhe era indiferente, já que o senhor havia resistido aos argumentos de Brédoux. Restava seu pai, por quem o senhor tem muita afeição. Então... puxei essa corda — respondeu rindo, Lupin.

— E aqui estou eu — disse Beautrelet.

Convidei-os a sentar.

Depois, Lupin, naquele tom de imperceptível ironia que lhe era peculiar, falou:

— Em todo caso, Sr. Beautrelet, se não aceita meus agradecimentos, não recusará, pelo menos, minhas desculpas.

— Desculpas? E por quê, senhor?

— Pela brutalidade empregada por Sr. Brédoux.

— Confesso que aquele ato me surpreendeu. Não era a maneira de agir habitual de Lupin. Uma facada...

— Eu nada tive a ver com aquilo. Sr. Brédoux é um novo recruta. Durante o tempo em que estiveram na direção dos negócios, meus amigos acharam que poderia nos ser útil atrair para nossa causa o próprio escrivão do juiz que está à testa do inquérito.

— Seus amigos não estavam errados.

— Brédoux, que foi destacado especialmente para acompanhar você, acabou tornando-se precioso para nós. Mas com o ardor próprio de todo neófito que deseja se distinguir, levou seu zelo um pouco longe demais e contrariou meus planos, ferindo-o por iniciativa própria.

— Ah, foi apenas um pequeno aborrecimento!

— Não, não, absolutamente! Eu o repreendi severamente. Devo dizer, no entanto, em seu favor, que ele foi tomado de surpresa pela inesperada rapidez de sua investigação. Se o senhor nos tivesse dado mais algumas horas, teria escapado àquele imperdoável atentado.

— E teria, sem dúvida, usufruído da grande vantagem de partilhar o destino dos senhores Ganimard e Sholmes?

— Precisamente — concordou Lupin, rindo com vontade.

— E eu não teria vivido as cruéis agruras que seu ferimento me causou. Passei, juro, horas atrozes. Ainda hoje sua palidez me causa um terrível remorso. O senhor ainda está aborrecido comigo?

— A prova de confiança que o senhor me dá — respondeu Beautrelet — entregando-se a mim sem impor condições, já que teria sido muito fácil trazer comigo alguns amigos de Ganimard, essa prova de confiança, portanto, apaga tudo.

Estaria Beautrelet falando sério? Eu estava bastante desconcertado. A luta entre aqueles dois homens começava de uma maneira que me era impossível entender. Eu, que havia assistido ao primeiro encontro entre Lupin e Sholmes no bar da Estação do Norte, não podia deixar de me lembrar da atitude altiva dos dois combatentes, do choque terrível de seu orgulho sob a palidez de suas maneiras, dos golpes rudes com que se atingiam, seus artifícios, sua arrogância.

Naquele momento nada disso acontecia. Lupin, esse em nada havia mudado. Mesma tática, mesma afabilidade irônica. Mas com que estranho adversário ele se batia! Seria realmente um adversário? Na verdade, não tinha nem o tom, nem a aparência disso. Muito calmo, mas de uma calma autêntica, que não mascarava os ímpetos de um homem que se contém; muito educado, mas sem exagero; sorridente, mas sem zombaria, o rapaz oferecia o mais perfeito contraste com Arsène Lupin. Tão perfeito, que mesmo Lupin aparentava estar tão desconcertado quanto eu.

Certamente Lupin não conseguia, frente a esse adolescente de faces rosadas como uma menina, de olhos cândidos e encantadores, manter sua segurança habitual. Por várias vezes observei nele sinais de constrangimento. Ele hesitava, não atacava francamente, perdia tempo em frases adocicadas e afetadas.

Parecia sentir falta de alguma coisa. Parecia procurar, esperar. Mas o quê? Que tipo de socorro?

Tocaram de novo. Por iniciativa própria, Lupin foi rapidamente abrir a porta. Voltou com um envelope.

— Com licença, senhores...

Abriu o envelope. Continha um telegrama. Leu-o para si.

Houve nele como que uma transformação. Seu rosto desanuviou-se, endireitou o corpo, as veias de sua testa intumesceram. Era o atleta que se reencontrava, dominador, seguro de si, senhor dos acontecimentos e das pessoas. Estendeu o telegrama sobre a mesa e, batendo sobre ele com o punho fechado, exclamou:

— Agora nós dois, Sr. Beautrelet!

Beautrelet ajeitou-se na cadeira e Lupin começou, com voz pausada, mas seca e voluntariosa:

— Vamos tirar as máscaras, está bem? Chega de mornas hipocrisias. Somos dois inimigos, sabemos perfeitamente o que esperar um do outro. Se agimos como inimigos, consequentemente é como inimigos que devemos nos tratar.

— Tratar? — disse Beautrelet surpreso.

— Sim, tratar. Eu não disse essa palavra por acaso. Repito-a, por mais que isso me custe. E me custa muito. É a primeira vez que a emprego diante de um adversário. Mas também, digo-lhe desde já, é a última vez. Aproveite. Não sairei daqui sem uma promessa sua. Do contrário a guerra estará declarada.

Beautrelet parecia cada vez mais surpreso. Disse, então, gentilmente:

— Eu não estou entendendo... O senhor fala de um modo tão engraçado!... É tão diferente do que eu pensava!... Sim, eu o imaginava completamente diferente... Por que essa cólera? As ameaças? Somos então inimigos apenas por que as circunstâncias nos colocam em campos opostos? Inimigos por quê?

Lupin pareceu um pouco desconcertado e, inclinando-se para o rapaz, disse:

— Escute bem, garoto. Não se trata mais de medir as palavras. Trata-se de um fato, de um fato real e indiscutível. Acontece que há dez anos eu não me encontro com um adversário de sua força. Com Ganimard, com Herlock Sholmes eu tenho brincado como se brinca com crianças. Com você sou obrigado a me defender, melhor dizendo, a recuar. No momento, você e eu sabemos muito bem que devo me considerar vencido. Isidore Beautrelet levou a melhor sobre Arsène Lupin. Meus planos foram atrapalhados. O que eu tencionava que ficasse na sombra você trouxe à luz do dia. Você me incomoda, você atravessa o meu caminho. Pois bem, eu estou farto. Brédoux já lhe explicou isso inutilmente, e eu estou repetindo. Acautele-se porque eu já estou farto.

Beautrelet abanou a cabeça.

— Mas, afinal de contas, o que é que o senhor deseja?

— Paz! Cada um no seu lugar, no seu domínio.

— Isto é, o senhor livre para assaltar à vontade, e eu livre para voltar aos meus estudos.

— Aos seus estudos, ao que você quiser. Isso não é da minha conta. Quero apenas que me deixe em paz... Quero paz...

— Mas como é que eu posso perturbar sua paz agora?

Lupin segurou-lhe a mão com violência.

— Você sabe muito bem! Não finja ignorar. Você está, atualmente, de posse de um segredo ao qual eu dou a maior importância. Esse segredo você tem o direito de adivinhar, mas não de o tornar público.

— Tem certeza de que eu o conheço?

— Você o conhece, tenho certeza. Dia a dia, hora após hora, segui o desenrolar de seu raciocínio, o progresso de suas investigações. No momento em que Brédoux o feriu, você ia revelar tudo. Por atenção a seu pai, você, mais tarde, retardou suas revelações. Mas hoje você as prometeu a esse jornal aqui. O artigo está pronto. Em uma hora ele será composto. Amanhã estará nas ruas.

— Perfeitamente.

Lupin levantou-se e, cortando o ar com um gesto, gritou:

— O artigo não vai sair!

— Vai, sim — disse Beautrelet, levantando-se de um salto.

Os dois homens erguiam-se, um contra o outro. Tive a impressão de um choque, como se eles se preparassem para um corpo-a-corpo. Uma súbita energia inflamava Beautrelet. Era como se uma centelha houvesse acendido nele novos sentimentos. Audácia, amor-próprio, a voluptuosidade da luta, a embriaguez do perigo.

Quanto a Lupin, eu sentia no brilho de seu olhar a felicidade do espadachim que encontra, finalmente, a ponta da espada do rival detestado.

— O artigo já foi entregue? — perguntou Lupin.

— Ainda não.

— Está com você?
— Não sou estúpido. Já me teriam tomado, se tivesse.
— E onde está?
— Com um dos jornalistas, guardado num envelope. Se à meia-noite eu não estiver no jornal, ele o mandará para a composição.
— Cretino! — murmurou Lupin. — Previu tudo...

Seu ódio fervia, visível, aterrorizante.

Beautrelet deu um risinho irônico, embriagado pelo triunfo.

— Cale-se! — berrou Lupin. — Você esquece quem sou eu?... Se eu quisesse... Mas ele ainda se atreve a rir!

Um grande silêncio envolveu então a sala. Lupin adiantou-se e, numa voz contida, olhando Beautrelet nos olhos, ordenou:

— Você vai correndo ao *Grand Journal*...
— Não.
— Você vai rasgar seu artigo.
— Não.
— Você vai procurar o redator-chefe.
— Não.
— Você lhe dirá que se enganou.
— Não.
— E você escreverá outro artigo, dando ao caso de Ambrumésy a versão oficial, aquela que todo mundo já aceitou.
— Não.

Lupin pegou então uma régua de ferro que estava sobre minha escrivaninha e, sem esforço, partiu-a em duas. Sua palidez era amedrontadora. Enxugou as gotas de suor que molhavam sua testa. Ele, que nunca havia conhecido quem se opusesse a seus desejos, estava enlouquecido pela teimosia daquele menino.

Apoiou com força as mãos sobre os ombros de Beautrelet e disse, destacando bem as sílabas:

— Você fará tudo isso, Beautrelet. Você dirá que suas últimas descobertas o convenceram de minha morte, que sobre esse ponto não há a menor dúvida. Você dirá isso, porque eu quero. Porque é necessário que acreditem que estou morto. Você fará isso porque, se não fizer...

— Se não fizer...

— Seu pai será raptado esta noite, assim como Ganimard e Herlock Sholmes.

Beautrelet sorriu.

— Não ria... Responda!

— Eu respondo que me é bastante desagradável contrariá-lo, mas prometi falar e falarei.

— Diga aquilo que eu mandar.

— Eu direi a verdade — exclamou Beautrelet, ardentemente. — É algo que o senhor não pode compreender. O prazer, ou melhor, a necessidade de dizer aquilo que realmente é, e de dizê-lo em voz alta. A verdade está aqui, neste cérebro que a descobriu, e daqui ela sairá nua e palpitante. O artigo sairá, e exatamente como eu o escrever. Todos saberão que Lupin está vivo e por que razão ele queria que acreditassem estar morto.

E acrescentou calmamente:

— E meu pai não será raptado.

Calaram-se mais uma vez, seus olhares sempre mergulhados um no outro. As espadas estavam em guarda. Era o silêncio pesado que precede o golpe mortal. Quem iria desferi-lo? Lupin murmurou:

— Esta noite, às três horas, salvo um aviso meu em contrário, dois de meus amigos vão entrar no quarto de seu pai e apoderar-se dele, por bem ou por mal, e levá-lo para junto de Ganimard e Herlock Sholmes.

Uma gargalhada estridente foi a resposta.

— Mas você não entende que tomei minhas precauções? — exclamou Beautrelet. — Então você acredita que eu seja bastante ingênuo para ter, tolamente, estupidamente, mandado meu pai de volta para casa, para a casinha isolada em que ele morava no campo?

Que bonito riso irônico animava o rosto do rapaz! Era um riso novo em seus lábios, riso onde se sentia a influência do próprio Lupin. E, tratando-o agora insolentemente de você, colocava-se de um salto no mesmo nível de seu adversário.

— Sabe, Lupin, seu grande defeito é julgar seus planos infalíveis. Você se diz vencido. Que piada! Na verdade, você está certo de que no final, como sempre, sairá ganhando. Mas você esquece que os outros também têm seus planos. O meu é muito simples, caro amigo.

Era uma delícia ouvi-lo falar. Ele ia e vinha, com as mãos nos bolsos, um ar de bravata, a desenvoltura de um garoto que provoca a fera acorrentada. Naquele momento ele vingava, com a mais terrível das vinganças, todas as vítimas do grande aventureiro.

— Lupin, meu pai não está na Savoia. Ele está do outro lado da França, no meio de uma grande cidade, guardado por vinte amigos nossos que têm ordem de não perdê-lo de vista até o fim de nossa batalha. Você quer detalhes? Ele está em Cherbourg, na casa de um dos empregados do arsenal, arsenal esse que permanece fechado durante a noite e onde ninguém pode entrar de dia, a não ser com autorização especial e na companhia de um guia.

Estava parado na frente de Lupin e zombava dele como um menino que faz caretas para um colega.

— Que acha disso, mestre?

Durante alguns minutos Lupin ficou imóvel. Nem um músculo do seu rosto se mexia. O que estaria pensando? Que atitude iria tomar? Para qualquer um que conhecesse a feroz violência de seu orgulho, um único desfecho seria possível: o esmagamento total, imediato, definitivo de seu inimigo. Seus dedos se crisparam. Tive, por um segundo, a sensação de que ele iria se atirar sobre o rapaz e estrangulá-lo.

— Que acha disso, mestre? — repetiu Beautrelet.

Lupin pegou no telegrama que estava sobre a mesa, estendeu-o e disse, muito senhor de si:

— Tome, leia...

Beautrelet ficou sério, subitamente impressionado pela suavidade do gesto. Desdobrou o papel e, imediatamente, levantando os olhos, murmurou:

— Que significa?... Não compreendo...

— Você compreenderá perfeitamente quando verificar o nome do local de onde foi expedido o telegrama... Veja... Cherbourg.

— Sim... sim... — balbuciou Beautrelet... sim... Cherbourg... e daí?

— E daí? Parece-me que o resto não é menos claro:

"Retirada do volume terminada pt Camaradas partiram com ele e aguardarão instruções até oito horas manhã pt Tudo bem pt"

— O que lhe parece obscuro? A palavra volume? Ora, afinal de contas não poderíamos escrever Sr. Beautrelet pai! O modo como a operação foi cumprida? O milagre graças ao qual seu pai foi arrancado do arsenal de Cherbourg, apesar dos vinte guarda-costas? Ora, isso faz parte da infância da arte. O fato é que o embrulho foi expedido. Que acha disso, nenê?

Com um esforço desesperado, Isidore tentava não fazer feio. Mas notava-se o tremor de seus lábios, seu queixo contraído, seus olhos que tentavam em vão fixar-se sobre um só ponto. Gaguejou algumas palavras, calou-se e, súbito, dobrando-se em dois, escondeu o rosto nas mãos e desatou em soluços:

— Papai... papai...

Desfecho imprevisto, exatamente o esmagamento que exigia o amor-próprio de Lupin. Mas era também outra coisa, algo de infinitamente ingênuo. Lupin teve um gesto de irritação. Pegou seu chapéu como que enojado com aquela insólita crise de sentimentalismo. Mas, no limiar da porta, parou, hesitou um instante e depois voltou lentamente.

O ruído abafado dos soluços soava como a queixa triste de uma criança arrasada pela tristeza. Os ombros marcavam o ritmo desolador. Lágrimas rolavam entre os dedos cruzados. Lupin inclinou-se e, sem tocar Beautrelet, disse-lhe numa voz em que não havia o menor vestígio de troça ou piedade ofensiva de um vencedor:

— Não chore, garoto. São golpes que é preciso esperar, quando se entra na luta de cabeça baixa, como você o fez. Os piores desastres nos ameaçam. É nosso destino de lutador que assim exige. É preciso aguentar corajosamente.

Depois, com doçura, continuou:

— Você tinha razão, sabe?... Nós não somos inimigos... Há muito tempo que sei disso... Desde o começo senti por você, pela pessoa inteligente que você é, uma involuntária simpatia... admiração... Por isso, gostaria que não se ofendesse... Eu ficaria desolado se o magoasse... Mas é preciso que eu lhe diga... Renuncie à luta contra mim... Não é por vaidade que eu lhe digo isso... Também não é que sinta desprezo por você... Entenda... a luta é desigual demais... Você não sabe... Ninguém conhece todos os recursos de que disponho... Olhe, esse segredo da agulha oca que você procura em vão decifrar, tente admitir, por um instante, que seja um tesouro formidável, inesgotável... Ou então um refúgio indevassável, prodigioso, fantástico, ou então, ainda, os dois ao mesmo tempo... Pense no poder sobrenatural que eu posso tirar disso... Você não conhece também todos os recursos que existem em mim... Tudo que minha vontade e minha imaginação permitem que eu empreenda com sucesso... Pense que minha vida inteira — poderia dizer mesmo desde que nasci — foi orientada para o mesmo objetivo, que trabalhei como um condenado antes de vir a ser o que sou, para realizar, com perfeição, o tipo que eu desejava criar, que consegui criar. Então... o que pode você fazer?... No momento em que você pensar ter a vitória nas mãos, ela lhe escapará... Haverá alguma coisa que não lhe terá ocorrido... Um quase nada... Um grão de areia que eu terei colocado no lugar certo, sem você saber... Renuncie, peço-lhe... Eu seria forçado a lhe fazer mal, e isso me afligiria muito...

E colocando a mão sobre a fronte do rapaz, Lupin repetiu:

— Pela segunda vez eu lhe peço... renuncie. Eu posso lhe fazer mal. Quem sabe se a armadilha em que você cairá inevitavelmente já não está armada sob seus passos?

Beautrelet tirou as mãos do rosto. Já não estava mais chorando. Teria ouvido as palavras de Lupin? Era de duvidar, visto seu ar distraído. Guardou silêncio por dois ou três minutos. Parecia estar pesando a decisão que iria tomar, examinando os prós e os contras, enumerando as possibilidades favoráveis e desfavoráveis. Por fim, disse a Lupin:

— Se eu modificar o sentido de meu artigo, confirmar a notícia de sua morte e me comprometer a nunca desmentir a falsa versão que vou confirmar, você jura que meu pai será libertado?

— Juro. Meus amigos levaram seu pai para uma outra cidade na província. Amanhã de manhã, às sete horas, se o artigo do *Grand Journal* sair como estou lhe pedindo, eu lhes telefonarei e eles colocarão seu pai em liberdade.

— Está bem — disse Beautrelet. — Eu me submeto às suas condições.

Rapidamente, como se achasse inútil prolongar a conversa, o rapaz levantou-se, pegou o chapéu, cumprimentou-me, cumprimentou Lupin e saiu. Lupin escutou o barulho da porta que se fechava e murmurou:

— Pobre garoto...

No dia seguinte, às oito horas, mandei meu criado buscar o *Grand Journal*. Ele demorou quase vinte minutos para trazê-lo, pois a maior parte das bancas já não tinha mais um único exemplar.

Desdobrei febrilmente o jornal. Lá estava, na primeira página, o artigo de Beautrelet. Ei-lo, tal qual os jornais do mundo inteiro o reproduziram:

"O DRAMA DE AMBRUMÉSY

O objetivo destas linhas não é explicar minuciosamente o trabalho de reflexão e pesquisa graças ao qual consegui reconstituir o drama, ou melhor, o duplo drama de Ambrumésy. A meu ver, este tipo de trabalho e os comentários que requer, deduções, induções, análises, etc, oferecem apenas um interesse relativo e, de qualquer modo, muito banal. Eu me limitarei a expor as duas ideias que guiaram meus esforços, e por aí se verificará que expondo-as e resolvendo os dois problemas que elas suscitam, terei narrado este caso de maneira simples, seguindo a ordem cronológica dos fatos que o constituem.

Talvez se observe que alguns desses fatos não estão comprovados e que dou bastante ênfase a uma hipótese. É verdade. Mas penso que minha hipótese tem fundamento em um número suficientemente grande de certezas, para que o seguimento dos fatos, apesar de não comprovados, se imponha com inflexível rigor. A nascente muitas vezes se esconde sob um leito de pedregulhos. Mas nem por isso deixa de ser a mesma nascente que se entrevê, a intervalos, onde o azul do céu se reflete.

Enuncio, desta forma, o primeiro dos enigmas. Não é um enigma de detalhe, e sim de conjunto, que despertou minha atenção.

Como acreditar que Lupin, ferido de morte, por assim dizer, tenha sobrevivido quarenta dias, sem cuidados, sem remédios, sem alimentos, no fundo de um buraco escuro?

Retomemos o caso do início. Na quinta-feira, 15 de abril, às quatro horas da madrugada, Arsène Lupin, surpreendido no meio de um de seus mais audaciosos assaltos, foge pelo caminho das ruínas e tomba ferido por uma bala. Arrasta-se penosamente, cai outra vez e torna a se levantar com a esperança de chegar até a capela. Lá se encontra a cripta que um golpe de sorte lhe revelou. Se ele conseguir se esconder nela, talvez se salve. À força de muita energia ele se aproxima, e está apenas a alguns metros quando ouve o ruído de passos. Extenuado, perdido, ele se entrega. O inimigo chega. É Senhorita Raymonde de Saint-Véran. Este é o prólogo do drama, ou melhor, a primeira cena do drama.

Que se passou entre eles? Não é difícil adivinhar, já que a continuação da aventura nos fornece todas as indicações. Aos pés da jovem há um homem ferido, esgotado pelo sofrimento e que dentro de dois minutos será capturado. Esse homem, foi ela quem o feriu. Irá ela também entregá-lo?

Se for ele o assassino de Jean Daval, sim, ela deixará que seu destino se cumpra. Mas em frases rápidas ele a informa da verdade sobre o homicídio, cometido em legítima defesa por seu tio, Sr. de Gesvres. Ela acredita. Que irá fazer? Ninguém pode vê-los. Victor, o criado, vigia a portinhola. O outro, Albert, postado na janela do salão, perdeu-os de vista. Irá ela entregar o homem que feriu?

Um impulso irresistível de piedade, que qualquer mulher compreenderia, se apossou da jovem. Dirigida por Lupin, em poucos minutos ela improvisa com seu lenço um curativo simples na ferida, para evitar os vestígios que o sangue deixaria. Depois, servindo-se da chave que ele lhe entrega, abre a porta da capela. Ele entra, sustentado pela moça. Ela torna a fechar a porta, e afasta-se. Albert chega.

Se alguém visitasse a capela naquele momento, ou, ao menos, durante os minutos que se seguiram, Lupin não teria tido tempo de refazer suas forças, de levantar a laje e desaparecer pela escada da cripta. Ele estaria perdido. Mas tal visita só aconteceu seis horas mais tarde e de forma muito superficial. Lupin estava salvo, e por quem? Por aquela que quase o matara.

A partir de então, querendo ou não, Senhorita de Saint-Véran é sua cúmplice. Ela não pode mais entregá-lo, mas precisa continuar sua obra, do contrário o ferido morrerá no asilo onde ela o ajudou a se esconder. Se por um lado seu instinto feminino a obriga a completar a tarefa, por outro ele a facilita. Ela tem todas as delicadezas, ela prevê tudo. É ela quem dá ao juiz uma falsa descrição de Arsène Lupin (lembrem-se da divergência de opinião das duas primas a esse respeito). É ela, evidentemente, quem, baseada em certos indícios que desconheço, reconhece, sob o disfarce de cocheiro, o cúmplice de Lupin. É ela quem o avisa. É ela quem lhe faz ver a urgente necessidade de uma operação. É ela, certamente, quem substitui um boné pelo outro. É ela quem manda escrever o famoso bilhete no qual é designada e pessoalmente ameaçada. Como poderia ela ser suspeita de algo, depois disso?

É ela quem, no momento em que eu ia confiar ao juiz minhas primeiras impressões, diz ter-me avistado, na véspera, no bosque. E ela quem leva Sr. Filleul a suspeitar de mim, reduzindo-me, assim, ao silêncio.

Manobra essa por certo perigosa, já que desperta minha atenção e a dirige contra aquela que me abate sob uma acusação que eu sei ser falsa. Mas manobra eficaz, já que se trata, antes de mais nada, de ganhar tempo e fechar minha boca.

E é ela quem, durante quarenta dias, alimenta Lupin, leva-lhe remédios (que seja interrogado o farmacêutico de Ouville; ele mostrará as receitas que aviou para Senhorita de Saint-Véran), enfim, quem cuida do doente, faz seus curativos, olha por ele e o cura.

Eis aí o primeiro de nossos dois problemas resolvidos, ao mesmo tempo em que o drama é exposto. Arsène Lupin encontrou a seu lado, dentro do próprio castelo, o socorro que lhe era indispensável, primeiro para não ser descoberto, em seguida para sobreviver.

Permaneceu vivo. E é então que se coloca o segundo problema, cuja pesquisa me serviu de fio condutor e que nos conduz ao segundo drama de Ambrumésy. Por que razão Lupin, vivo, livre, novamente à testa de sua quadrilha, todo-poderoso como antes, faz esforços desesperados, esforços nos quais eu esbarro incessantemente, para tentar impor à justiça e ao público a ideia de que está morto?

É preciso lembrar que a Senhorita de Saint-Véran era muito bonita. As fotografias publicadas pelos jornais, após seu desaparecimento, dão apenas uma pálida ideia de sua beleza. Acontece, então, o que não poderia deixar de acontecer. Lupin, que vê, durante quarenta dias, essa linda moça, que deseja sua presença quando ela não está com ele, que experimenta, quando ela está presente, seu encanto e sua graça, que respira, quando ela se inclina sobre ele, o fresco perfume de seu hálito, Lupin se apaixona por sua enfermeira. O reconhecimento se transforma em amor, a admiração se transforma em paixão. Ela é a salvação, mas também a alegria de seus olhos, o sonho de suas horas de solidão, sua claridade, sua esperança, sua própria vida.

Ele a respeita a ponto de não explorar o seu devotamento, de não se servir dela para dirigir seus cúmplices. Com efeito, sente-se uma certa hesitação nos atos do bando acéfalo. Mas também porque ele a ama, seus escrúpulos se atenuam. E como Senhorita de Saint-Véran não se deixa comover por um amor que a ofende, como ela começa a espaçar suas visitas à medida que se fazem menos necessárias, e como, quando ela o vê curado, cessa as visitas... desesperado, louco de dor, Lupin toma uma terrível resolução. Sai de seu abrigo, prepara um golpe, e no sábado, 6 de junho, ajudado por seus cúmplices, rapta a moça.

Isso não é tudo. Esse rapto não deve ser conhecido. É necessário acabar com as buscas, as suposições, e mesmo com a esperança. Senhorita de Saint-Véran, para *todos os efeitos, estará morta. Simula-se seu assassinato. Aparecem provas. É certo que o crime aconteceu. Crime previsto, aliás, crime anunciado previamente pelos cúmplices, crime executado para vingar a morte do chefe e por isso mesmo — observem a maravilhosa habilidade de tal concepção — e por isso mesmo encontra-se, como direi?... encontra-se a isca atirada para solidificar a crença nessa morte.*

Não é suficiente suscitar uma crença, é necessário impor uma certeza. Lupin prevê minha intervenção. Eu descobrirei o truque da capela. Eu acharei a cripta. E como a cripta estará vazia, toda a estrutura irá desmoronar.

Mas a cripta não estará vazia.

Da mesma forma, a morte de Senhorita de Saint-Véran só será definitiva quando o mar atirar à praia o seu cadáver.

O mar jogará à praia o cadáver de Senhorita de Saint-Véran.

A dificuldade é imensa? O duplo obstáculo, intransponível? Sim, para qualquer outra pessoa, mas não para Lupin.

Como ele havia previsto, eu adivinho o truque da capela, descubro a cripta e desço até a toca onde Lupin se escondeu. Seu cadáver lá está!

Qualquer pessoa que tivesse admitido a possibilidade da morte de Lupin estaria derrotada. Mas nem por um segundo eu havia admitido essa possibilidade (no começo, por intuição, depois pelo raciocínio). O subterfúgio tornava-se, então, inútil, e eram vãs todas as combinações. Raciocinei, imediatamente, que a pedra abalada pela picareta havia sido colocada naquele lugar com uma precisão bastante curiosa, pois o menor toque a faria cair, e ao cair ela iria, inevitavelmente, reduzir a uma pasta informe a cabeça do falso Arsène Lupin, de maneira a torná-lo irreconhecível.

Outro achado. Meia hora depois venho a saber que o cadáver de Senhorita de Saint-Véran fora encontrado nos rochedos de Dieppe. Ou, por outra, um cadáver que se crê ser o de Senhorita de Saint-Véran, porque em um dos braços há uma pulseira igual a uma das pulseiras da moça. Aliás, é essa a única marca de identificação, pois o cadáver está irreconhecível.

Aí eu me recordo e compreendo tudo. Alguns dias antes, li, em um exemplar do jornal La Vigie de Dieppe, que um jovem casal de americanos que se encontrava em Envermeu suicidara-se com veneno, e que na própria noite do suicídio seus cadáveres haviam desaparecido. Corro para Envermeu. A história é verdadeira, dizem-me, a não ser a parte concernente ao desaparecimento, já que os próprios irmãos das vítimas tinham reclamado os corpos e os levado, depois das formalidades de praxe. Esses irmãos, não há dúvida, eram Arsène Lupin e seus comparsas.

Por conseguinte, a prova está feita. Sabemos o motivo pelo qual Arsène Lupin simulou o assassinato da moça e espalhou o boato de sua própria morte. Ele está amando e não quer que se saiba. E, para que não se saiba, não recua diante de nada. Vai ao ponto de empreender esse incrível roubo de dois cadáveres, dos quais necessita para representarem seu papel e o de Senhorita de Saint-Véran. Desta forma ele ficará sossegado. Ninguém poderá perturbá-lo. Ninguém desconfiará da verdade que ele deseja abafar.

Ninguém? Sim... Pelo menos três adversários poderiam ter alguma dúvida: Ganimard, que está sendo esperado, Herlock Sholmes, que deve atravessar o estreito, e eu, que estou ali mesmo. Isso significa um perigo tríplice. Ele o suprime. Sequestra Ganimard, sequestra Herlock Sholmes e faz-me esfaquear por Brédoux.

Resta um único ponto obscuro. Por que terá Lupin se esforçado tanto para me tomar o documento da Agulha Oca? Não é possível que ele tivesse a pretensão de, ao retomá-lo, apagar de minha memória o texto de cinco linhas que o compõem. Então por quê? Temeria ele que a própria natureza do papel, ou qualquer outro indício, pudesse me fornecer alguma informação?

Seja lá o que for, esta é a verdade sobre o caso de Ambrumésy. Repito que a hipótese representa, na solução que eu proponho, um certo papel, assim como representou um papel muito importante em minhas investigações. Mas se fôssemos esperar por provas e fatos para combater Lupin, estaríamos nos arriscando a ficar esperando para sempre, ou então a descobrir que, por serem preparados por Lupin, iriam nos conduzir exatamente ao oposto do que estávamos buscando. Tenho a esperança de que os fatos, quando forem conhecidos, venham a confirmar totalmente minha hipótese."

Beautrelet, por um momento dominado por Arsène Lupin, perturbado pelo sequestro do pai e resignado com a derrota, não conseguira guardar silêncio. A verdade era bela demais, estranha demais, e as provas que ele podia oferecer eram por demais lógicas e conclusivas para que aceitasse disfarçá-la. O mundo inteiro esperava por suas revelações. E ele não decepcionou o público.

Na mesma noite em que seu artigo apareceu, os jornais anunciaram o rapto do pai de Beautrelet. Isidore havia sido avisado por um telegrama de Cherbourg, recebido às três da tarde.

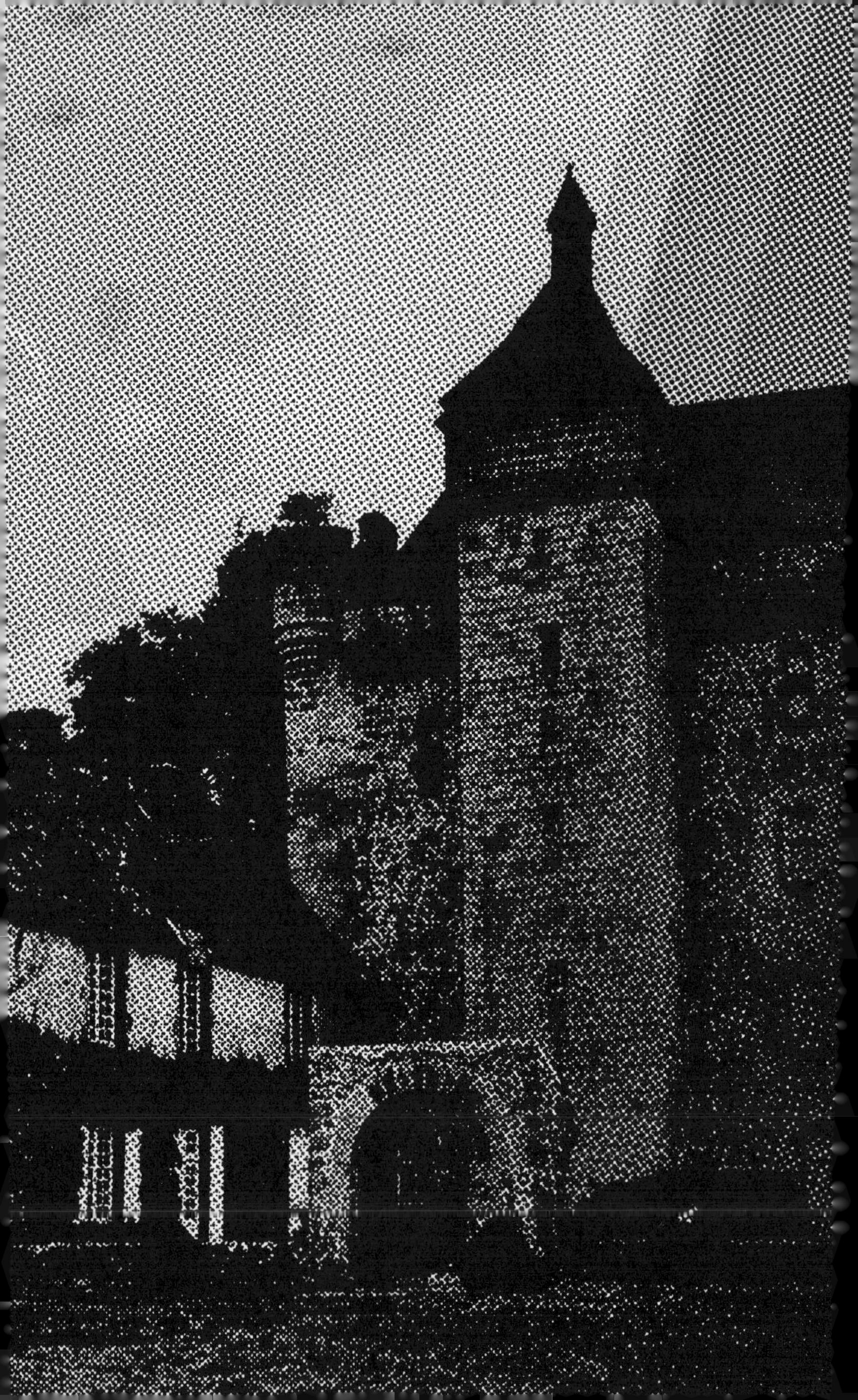

Capítulo 5
NA PISTA

O jovem Beautrelet ficou abalado com a violência do golpe. Se bem que ele houvesse, ao publicar o artigo, obedecido a um desses impulsos irresistíveis que nos fazem desdenhar qualquer prudência, no fundo ele não acreditava na possibilidade de um rapto. Todas as precauções haviam sido tomadas. Os amigos de Cherbourg tinham ordem não apenas de vigiar o velho Sr. Beautrelet, mas de não largá-lo um só minuto, nunca o deixando sair sozinho, nem mesmo lhe entregando qualquer correspondência sem antes havê-la aberto. Não, não havia perigo. Lupin estava blefando. Desejoso de ganhar tempo, estava era procurando intimidar seu adversário.

O golpe foi quase imprevisto, e durante todo o final do dia, na impotência em que se encontrava para agir, Beautrelet se ressentiu do choque doloroso. Uma única ideia o dominava: partir, ir até lá, ver com seus próprios olhos o que havia acontecido e retomar a ofensiva. Enviou, então, um telegrama a Cherbourg. Por volta de oito da noite ele chegava à estação de Saint-Lazare, Alguns minutos depois embarcava no expresso.

Só uma hora mais tarde, desdobrando mecanicamente um jornal vespertino comprado na plataforma, ele viu a carta pela qual Lupin respondia indiretamente a seu artigo daquela manhã.

"*Senhor diretor,*

Não quero, em absoluto, que minha modesta personalidade, a qual, em tempos mais heroicos, teria passado completamente despercebida, deixe de despertar um certo interesse nesta nossa época de frouxidão e mediocridade. Mas existe um limite que a curiosidade malsã da multidão não deve ultrapassar, sob pena de desonesta indiscrição. Se não se respeitam mais os muros que guardam nossa vida privada, que proteção resta aos cidadãos?

Podem invocar os superiores interesses da verdade. No que me diz respeito, esse é um vão pretexto, já que a verdade é conhecida e eu não me oponho em absoluto a confirmá-la oficialmente. Sim, Senhorita de Saint-Véran está viva. Sim, eu a amo.

Sim, sofro por não ser amado por ela. Sim, a investigação feita pelo garoto Beautrelet é admirável pela sua precisão e justeza. Sim, estamos de acordo em todos os pontos. Não há mais enigma. Muito bem... e agora?

Com a alma profundamente ferida, sangrando ainda dos mais cruéis ferimentos morais, peço que cessem de atirar à malignidade pública meus sentimentos mais íntimos, minhas esperanças mais secretas. Peço paz. A paz que me é necessária para conquistar a afeição de Senhorita de Saint-Véran, e para apagar de sua memória os mil pequenos ultrajes que lhe valeram, por parte de seu tio e sua prima. E isso ainda não foi dito, a sua condição de parente pobre. Senhorita de Saint-Véran esquecerá esse passado odioso. Tudo o que ela puder desejar, seja a mais bela joia do mundo, seja o tesouro mais inacessível, eu colocarei a seus pés. Ela será feliz. Ela me amará. Mas, para conseguir isso, mais uma vez eu digo, preciso de paz. Eis por que deponho as armas e ofereço a meus inimigos o ramo de oliveira — advertindo-os, entretanto, de que uma recusa de sua parte poderá trazer-lhes as mais funestas consequências.

A respeito de Sr. Harlington, ainda uma palavra. Sob esse pseudônimo esconde-se um excelente rapaz, secretário do milionário americano Cooley, e encarregado por ele de arrebanhar na Europa todas as antiguidades artísticas que lhe for possível descobrir. O azar quis que ele topasse com meu amigo Etienne de Vaudreix, aliás Arsène Lupin, aliás eu mesmo. Ele soube, assim, o que era falso, que um certo Sr. de Gesvres queria se desfazer de quatro Rubens, contanto que fossem substituídos por cópias, e que essa transação, por ele consentida, permanecesse em segredo. Meu amigo Vaudreix garantia que conseguiria convencer Sr. de Gesvres a vender a Chapelle-Dieu. As negociações prosseguiram com total boa-fé por parte de meu amigo Vaudreix, com uma ingenuidade encantadora da parte de Sr. Harlington, até o dia em que os Rubens e as pedras esculpidas da Chapelle-Dieu foram colocados em lugar seguro... e Sr. Harlington na prisão. Não resta, pois, senão soltar o infeliz americano, já que ele apenas se contentou com o modesto papel de otário. É preciso, também, desmascarar o milionário Cooley, já que, por conta de possíveis aborrecimentos, ele não protestou contra a prisão de seu secretário. E é preciso, também, felicitar meu amigo Etienne de Vaudreix, aliás eu, já que ele se vinga da falsa moral pública guardando os quinhentos mil francos que recebeu como adiantamento do pouco simpático Sr. Cooley.

Desculpe a extensão destas linhas, caro diretor, e receba meus sinceros cumprimentos.

    Arsène Lupin."

Isidore analisou os termos da carta, talvez com tanta minúcia quanto para estudar o documento da agulha oca. Partiu do princípio, facilmente demonstrável, de que nunca Lupin se tinha dado ao trabalho de mandar uma única de suas divertidas cartas aos jornais sem que houvesse uma necessidade absoluta, sem que houvesse um motivo, que os acontecimentos não tardariam a esclarecer mais dia, menos dia. Qual seria o motivo daquela carta? Por que razão ele confessava seu amor e o insucesso desse amor? Seria nesse ponto que era preciso investigar, ou nas explicações que diziam respeito a Sr. Harlington ou, quem sabe, nas entrelinhas, atrás de todas aquelas palavras cujo significado aparente não tivesse outro objetivo senão o de sugerir uma ideiazinha maldosa, pérfida, desconcertante?

Durante horas, fechado em sua cabina, Beautrelet permaneceu pensativo, preocupado. A carta lhe inspirava desconfiança, como se tivesse sido escrita para ele, destinada a levá-lo, pessoalmente, a uma pista falsa. Pela primeira vez, e porque se encontrava em face não mais de um ataque direto, mas de um tipo de luta equívoca, indefinível, ele sentia nitidamente a sensação de medo. E pensando em seu bom e velho pai, raptado por sua culpa, ele se perguntava, com angústia, se não seria loucura prosseguir num duelo tão desigual. O resultado já não era certo? Lupin já não teria ganhado a partida de antemão?

Seu desânimo durou pouco. Quando desceu do trem, às seis da manhã, reconfortado por algumas horas de sono, havia recuperado toda a sua confiança.

Na plataforma, Froberval, o empregado do porto onde estava hospedado o velho Sr. Beautrelet, esperava-o, acompanhado de sua filha Charlotte, uma garota de doze a treze anos.

— Então? — exclamou Beautrelet.

Como o pobre homem começasse a gemer, ele o interrompeu, arrastou-o para um botequim próximo, pediu café e começou claramente a fazer suas perguntas, sem permitir a seu interlocutor a menor digressão.

— Meu pai não foi raptado, não é verdade? Isso seria possível?

— Impossível. No entanto ele desapareceu.

— Desde quando?

— Não sabemos.

— Como, não sabem!

— Não sabemos. Ontem de manhã, às seis horas, não o vendo descer, abri sua porta e ele não estava mais lá.

— Mas anteontem ele ainda estava.

— Sim. Anteontem ele não saiu do quarto. Ele estava um pouco cansado e Charlotte levou-lhe o almoço ao meio-dia e o jantar às sete.

— Foi, então, entre sete horas da noite de anteontem e seis da manhã de ontem que ele desapareceu?

— Sim, durante a noite. Só que...
— Só que...?
— Bem... acontece que de noite ninguém pode sair do arsenal.
— Então, ele não saiu?
— Impossível! Eu e meus camaradas revistamos todo o porto.
— Então ele saiu.
— Impossível! Está tudo vigiado.
Beautrelet pareceu refletir, depois disse:
— A cama dele estava desfeita?
— Não.
— E o quarto, estava em ordem?
— Sim. Encontrei seu cachimbo no lugar de sempre, o fumo e o livro que ele estava lendo. Havia até no meio do livro este retratinho seu marcando a página.
— Deixe-me ver.
Froberval passou-lhe a foto. Beautrelet teve um gesto de surpresa. Acabava de se reconhecer no instantâneo, em pé, com as mãos nos bolsos, no meio de um gramado onde se distinguiam árvores e ruínas. Froberval prosseguiu:
— Deve ser o último retrato que o senhor lhe mandou. Olhe, atrás está a data... 3 de abril, o nome do fotógrafo, R. de Vai, e o nome da cidade, Lion... Lion-sur-Mer, talvez.

Isidore, com efeito, havia virado a foto e lia uma pequena anotação, com sua própria caligrafia:

R. de Val. — 3.4. — Lion.

Guardou silêncio durante alguns minutos e logo perguntou:
— Meu pai ainda não lhe havia mostrado esta foto?
— Francamente, não... e fiquei espantado quando vi isso ontem... pois seu pai me falava sempre sobre o senhor.
Um novo silêncio, desta vez bastante longo, se fez. Froberval murmurou:
— Tenho que ir para a oficina... Poderíamos, talvez, ir conversando pelo caminho...
Calou-se. Isidore não parava de olhar a foto. Examinava-a em todos os detalhes. Finalmente, perguntou:
— Existe, por acaso, dentro de no máximo uma légua, fora da cidade, uma hospedaria chamada Lion d'Or?
— Sim, fica a uma légua daqui.
— Na rodovia de Valognes, não é?
— Realmente, na rodovia de Valognes.

— Pois bem, tenho razões para acreditar que essa hospedaria serviu de quartel-general para os amigos de Lupin. Foi de lá que eles entraram em contato com meu pai.

— Seu pai não falava com ninguém. Não esteve com ninguém.

— Não esteve com ninguém? Mas eles se serviram de um intermediário.

— Que prova tem o senhor?

— Esta fotografia.

— Mas é a sua!

— Realmente é a minha. Mas não foi mandada por mim. Eu nem a conhecia. Ela foi tirada sem meu conhecimento, nas ruínas de Ambrumésy, sem dúvida, pelo escrivão do juiz, que era, como o senhor sabe, cúmplice de Arsène Lupin.

— E daí?

— Esta foto foi o passaporte graças ao qual captaram a confiança de meu pai.

— Mas quem?... Quem poderia ter entrado em minha casa?

— Não sei, mas meu pai caiu na armadilha. Disseram-lhe, e ele acreditou, que eu estava nos arredores, que eu desejava vê-lo e que marcara um encontro com ele na Hospedaria Lion d'Or.

— Mas isso tudo é uma loucura! Como é que o senhor pode afirmar?

— Simplesmente imitaram minha caligrafia atrás da foto e marcaram o encontro. Rodovia de Valognes, quilômetro 3, 400, Hospedaria Lion. Meu pai foi e o pegaram. Eis tudo.

— Está bem — murmurou Froberval, aturdido. — Está bem, eu admito... as coisas se passaram realmente assim. Mas tudo isso não explica de que maneira ele conseguiu sair durante a noite.

— Ele saiu durante o dia, resolvido a esperar pela noite para ir ao encontro.

— Mas, que diabo! Como? Ele não saiu do quarto durante todo o dia de anteontem.

— Há um meio de você se certificar. Corra até o porto, Froberval, e procure um dos homens que estavam de guarda, durante a tarde de anteontem. Só que, vá depressa, se quiser me encontrar na volta.

— O senhor já vai embora?

— Sim, vou tomar o trem.

— Mas o senhor ainda não sabe... E sua investigação?

— Minha investigação já terminou. Sei mais ou menos tudo que eu queria saber. Dentro de uma hora terei deixado Cherbourg.

Froberval levantou-se. Olhou Beautrelet com um ar estupefato, hesitou um pouco e depois pegou o boné.

— Vamos, Charlotte?

— Não — disse Beautrelet. — Preciso ainda de algumas informações. Deixe-a comigo. Assim nós conversaremos. Eu a conheço desde pequenina.

Froberval se foi. Beautrelet e a menina ficaram sós no botequim. Vários minutos se passaram, um garçom levou as xícaras e desapareceu.

Os olhos do rapaz e da criança se encontraram e, muito docemente, Beautrelet colocou a mão sobre a mão da menina. Ela o olhou durante dois ou três segundos, perdida, como que sufocada. Depois, colocando bruscamente a cabeça entre os braços dobrados, começou a soluçar. Ele a deixou chorar e, ao cabo de um instante, disse:

— Foi você quem fez tudo, não foi? Foi você quem serviu de intermediária? Foi você quem levou a fotografia? Confessa? Quando dizia que meu pai estava no quarto, anteontem, você sabia muito bem que não estava, não é? Já que você mesma o ajudou a sair...

Ela não respondia. Ele então perguntou:

— Por que você fez isso? Com certeza lhe ofereceram dinheiro... para comprar umas fitas... um vestido...

Descruzou os braços de Charlotte e levantou-lhe a cabeça. Viu seu rosto banhado de lágrimas, um rosto gracioso, inquietante e expressivo, dessas meninas que estão destinadas a sofrer todas as tentações, todos os desfalecimentos.

— Pronto — disse Beautrelet, acabou, não falemos mais nisso... Não lhe pergunto nem mesmo como aconteceu. Só que você vai me contar tudo que possa me ajudar. Você ouviu alguma coisa... alguma coisa que essas pessoas disseram? Como é que o rapto aconteceu?

Ela respondeu logo:

— De carro... ouvi quando eles falavam disso.

— E que estrada eles tomaram?

— Ah, isso eu não sei.

— Não trocaram diante de você nenhuma palavra que pudesse nos ajudar?

— Nenhuma... Mas um deles disse: "Não há tempo a perder... É amanhã de manhã, às oito horas, que o patrão deve telefonar para lá."

— Lá onde?... Vê se você se lembra... Era um nome de cidade, não era?

— Um nome... parecido com château...

— Châteaubriant?... Château-Thierry?

— Não... não...

— Châteauroux?

— É isso!... Châteauroux!

Beautrelet nem esperou que ela pronunciasse a última sílaba. Sem se preocupar com Froberval, sem se ocupar mais da menina, que o observava estupefata, abriu a porta e correu para a estação.

— Châteauroux, minha senhora... Uma passagem para Châteauroux.
— Pelo trem que vai por Mans e por Tours? — perguntou a bilheteira.
— Pelo caminho mais curto... Chegarei lá até a hora do almoço?
— Ah, não...
— Na hora do jantar?... À noite?
— Ah, não. Para isso é preciso ir por Paris... O expresso de Paris é às oito horas... Já é tarde demais.

Não era tarde demais. Beautrelet conseguiu tomá-lo.

— Ótimo, disse para si Beautrelet, esfregando as mãos. Passei só uma hora em Cherbourg, mas ela foi bem empregada.

Nem por um momento pensou que Charlotte pudesse ter mentido. Esses temperamentos fracos, desamparados, capazes das piores traições, obedecem também a súbitos impulsos de sinceridade. E Beautrelet havia visto em seus olhos amedrontados a vergonha do mal que ela havia feito e a alegria de repará-lo, em parte. Por isso não duvidava que Châteauroux fosse a tal outra cidade, mencionada por Lupin, e onde falaria com seus cúmplices por telefone.

Assim que chegou a Paris, Beautrelet tomou todas as precauções necessárias para não ser seguido. Sentia que a hora era de muita gravidade. Estava numa boa pista, que o levaria a seu pai, e qualquer imprudência poderia estragar tudo.

Entrou na casa de um de seus colegas do liceu e, uma hora mais tarde, saiu irreconhecível. Transformara-se em um inglês de uns trinta anos, vestido com um terno marrom xadrez, calças de golfe, meias de lã, boné de viagem enfiado na cabeça, rosto corado e uma curta barba ruiva.

Montou numa bicicleta, na qual estava pendurado um completo material de pintura, e tocou para a estação de Austerlitz.

Passou a noite em Issoudun. Mal amanheceu, montou na bicicleta. Às sete horas apresentava-se no posto de telefonia de Châteauroux e pedia uma ligação para Paris. Aproveitou a espera para entabular conversa com o empregado. Soube, então, que na antevéspera, àquela mesma hora aproximadamente, um indivíduo vestido com guarda-pó de automobilista havia também pedido uma ligação para Paris.

Já tinha provas. Não esperou mais nada.

Durante a tarde soube, por testemunhas irrecusáveis, que uma limusine, seguindo pela estrada de Tours, tinha atravessado a vila de Buzançais, em seguida a cidade de Châteauroux, parando além da cidade, junto à orla da floresta. Lá pelas dez horas, um cabriolé, conduzido por um indivíduo, estacionara junto à limusine, afastando-se, em seguida, em direção ao sul, pelo vale de Bouzanne. A partir de então, havia mais alguém ao lado do cocheiro. Quanto à limusine, tomara o caminho oposto, dirigindo-se para o norte, para Issoudun.

Isidore descobriu facilmente quem era o dono do cabriolé. Mas o homem nada lhe pôde adiantar. Havia alugado seu veículo e seu cavalo a um indivíduo que os havia devolvido, em pessoa, no dia seguinte.

Nessa mesma noite, Isidore constatava que a limusine havia apenas atravessado Issoudun, continuando seu caminho em direção a Orléans, isto é, a Paris.

Significava que, positivamente, o pai de Isidore encontrava-se nos arredores. Senão, como admitir que tivessem feito quase quinhentos quilômetros através da França para telefonar em Châteauroux, para voltar novamente, em ângulo agudo, pelo caminho de Paris? Essa volta imensa tinha uma finalidade precisa: transportar o velho Beautrelet para o local que lhe estava destinado.

E esse local está ao alcance de minhas mãos, pensava Isidore, trêmulo de esperança. A dez léguas, a quinze léguas daqui, meu pai espera que eu o socorra. Ele está aqui. Respira o mesmo ar que eu.

Logo pôs-se a caminho. Tomando um mapa, dividiu-o em pequenos quadrados que visitava, um por um, entrando nas fazendolas, conversando com camponeses, procurando professores, prefeitos, padres, puxando conversa com as mulheres. Parecia-lhe que dentro em breve atingiria seu objetivo. Seu sonho se ampliava. Não era apenas seu pai que ele esperava libertar, mas todos aqueles que Lupin mantinha presos: Raymonde de Saint-Véran, Ganimard, Herlock Sholmes e, talvez, muitos outros. Ao chegar até eles, chegaria também ao próprio coração da fortaleza de Lupin, à sua toca, seu impenetrável esconderijo, onde ele amontoava todos os tesouros que havia roubado ao mundo.

Só que, depois de quinze dias de buscas infrutíferas, seu entusiasmo começou a declinar, perdendo a confiança rapidamente. Se bem que continuasse a executar seu plano de investigações, ficaria extremamente surpreso se seus esforços o conduzissem à menor descoberta.

Mais alguns dias transcorreram, monótonos e desencorajadores. Soube pelos jornais que o Conde de Gesvres e sua filha haviam deixado Ambrumésy e se instalado nos arredores de Nice. Soube também da libertação de Sr. Harlington, cuja inocência fora evidenciada, conforme as declarações de Arsène Lupin.

Mudou seu quartel-general, estabelecendo-se dois dias em La Châtre e dois em Argenton. O resultado foi o mesmo.

Esteve prestes a abandonar a partida. Evidentemente o cabriolé que conduzira seu pai havia servido apenas durante uma etapa, à qual sucedera-se outra, utilizando-se para isso outra viatura. Assim, seu pai estaria longe. Começou a pensar em partir.

Mas, uma manhã de segunda-feira, notou no envelope de uma carta não selada que lhe era devolvida de Paris uma caligrafia que o emocionou profundamente. Sua emoção foi tão grande que, durante alguns minutos, não ousou abrir, por medo de uma decepção. Sua mão tremia. Seria possível? Não seria uma armadilha preparada pelo diabólico inimigo? Com um gesto brusco, rasgou o envelope. Era, verdadeiramente, uma carta de seu pai, escrita por seu próprio punho. A caligrafia apresentava-se com todas as particularidades, todos os tiques que ele conhecia tão bem. Leu:

"*Estas palavras chegarão até a ti, querido filho? Nem ouso acreditar.*

Durante toda a noite do sequestro viajamos de automóvel, e depois, durante a manhã, de carruagem. Não pude ver nada. Tinha uma venda sobre os olhos. O castelo onde estou detido, a julgar por sua construção e pela vegetação do parque, deve estar situado no centro da França. O quarto que ocupo é no segundo andar, tem duas janelas, uma das quais está semicoberta por uma cortina de glicínias. Durante a tarde, a certas horas, tenho liberdade para ir e vir dentro do parque, mas sob uma vigilância sem trégua.

Confiando no acaso, escrevo-te esta carta e amarro-a numa pedra. Talvez, um dia, eu possa jogá-la por cima do muro e algum camponês a apanhe. Não te inquietes. Tratam-me com toda a consideração.

Teu velho pai que te ama muito e que se entristece ao pensar nas preocupações que te está causando.

Beautrelet."

Isidore procurou imediatamente o carimbo do correio. Era de Cuzion (Indre). Indre! Exatamente a região que ele investigava, encarniçadamente, há semanas! Consultou um pequeno guia de bolso que nunca abandonava. Cuzion, cantão de Eguzon... Também por lá ele havia passado.

Por uma questão de prudência, abandonou sua personalidade de inglês, que já começava a ser conhecida demais na região. Disfarçou-se em operário e partiu para Cuzion, aldeia pouco importante, onde lhe foi fácil descobrir quem havia expedido a carta.

A sorte o favorecera.

— Uma carta colocada no correio quarta-feira passada? — exclamou o prefeito, bom burguês, com quem ele conversou e que se colocou à sua disposição.

— Olhe, creio que posso lhe fornecer uma informação preciosa. Sábado de manhã, um velho amolador que frequenta todas as feiras desta região, apelidado Papai Charel, perguntou-me: Senhor prefeito, uma carta que não tem selo vai assim mesmo? Certamente!, disse eu. E chega ao seu destino? Por certo. O destinatário terá apenas uma taxa suplementar a pagar e pronto.

— E esse Papai Charel, onde mora?

— Logo ali... na colina... num casebre ao lado do cemitério... Quer que o leve até lá?

Era um casebre isolado, no meio de um pomar, cercado por árvores muito altas. Quando o encontraram, três pássaros levantaram voo, saídas da casinhola onde estava amarrado um cão de guarda. O cachorro não latiu e nem mesmo se mexeu quando eles se aproximaram.

Muito espantado, Beautrelet adiantou-se. O bicho estava deitado de lado, com as patas estiradas. Estava morto.

Correram para a casa. A porta estava aberta.

Entraram. No fundo de um cômodo úmido e baixo, em cima de um colchão surrado, jogado no chão, um homem estava deitado, completamente vestido.

— Papai Charel! — exclamou o prefeito. — Será que está morto também?

As mãos do pobre homem estavam frias, o rosto era de uma palidez apavorante, mas o coração ainda batia, fraca e lentamente. Não parecia estar ferido.

Tentaram reanimá-lo e, como não o conseguissem, Beautrelet foi procurar um médico. Este não teve maior sucesso. O homem não parecia estar sofrendo. Parecia estar simplesmente dormindo, mas um sono artificial, como se o tivessem adormecido por hipnose ou por meio de um narcótico.

No meio da noite seguinte, entretanto, Isidore, que velava, reparou que a respiração do homem se tornava mais forte e que todo o seu ser parecia desvencilhar-se das amarras invisíveis que o paralisavam.

De madrugada ele acordou e recobrou suas funções normais. Comeu, bebeu e movimentou-se. Mas, durante todo o dia, continuou impossibilitado de responder às perguntas do rapaz. Seu cérebro ainda estava como que adormecido por um inexplicável torpor. No dia seguinte perguntou a Beautrelet:

— O que é que o senhor está fazendo aqui? — Espantava-se com a presença de um estranho a seu lado.

Pouco a pouco, foi recobrando a lucidez. Falou, fez projetos, mas quando Beautrelet o interrogou sobre os acontecimentos que antecederam seu sono, pareceu não compreender.

Na verdade, Beautrelet sentiu que ele não compreendia. Tinha perdido a lembrança do que se passara a partir da sexta-feira precedente. Era como se, de repente, houvesse um vácuo dentro de sua vida normal. Descrevia sua manhã e sua tarde de sexta-feira, os negócios que havia feito, a feira, a refeição na estalagem. Depois... mais nada... Pensava que estava acordando na manhã seguinte àquele dia.

Foi horrível para Beautrelet. A verdade estava toda ali, naqueles olhos que tinham visto o muro do parque atrás do qual seu pai o esperava, naquelas mãos que haviam apanhado a carta, naquele cérebro confuso que havia registrado o local da cena, o palco onde se desenrolava o drama. E daquelas mãos, daqueles olhos e daquele cérebro ele não conseguia retirar mais nenhum eco da verdade.

Aquele obstáculo impalpável e intransponível, contra o qual se despedaçavam todos os seus esforços, aquele obstáculo feito de silêncio e esquecimento, como trazia a marca de Lupin! Somente ele, ciente de que alguma coisa havia sido tentada pelo velho Beautrelet, tinha recursos para aplicar aquela morte parcial. Não que Beautrelet estivesse se sentindo descoberto e pensasse que Lupin, sabedor de seu dissimulado movimento de ataque, bem como da carta que havia recebido, estivesse se defendendo dele, pessoalmente. É que Lupin demonstrava, mais uma vez, sua previdência e sua real inteligência, ao cortar a possível acusação da testemunha. Ninguém, agora, sabia que existia entre os muros de um parque um prisioneiro que pedia socorro.

Ninguém mais? Restava Beautrelet. Papai Charel não podia falar? Paciência. Mas podia-se, ao menos, conhecer a feira a que o homem havia ido e o provável caminho de volta que ele tomara. E, ao longo desse caminho, quem sabe, se poderia encontrar...

Isidore, que só havia frequentado o casebre de Papai Charel, tomando as maiores precauções e de maneira a não despertar atenção, decidiu não voltar mais lá. Procurou informar-se, e soube que sexta-feira era dia de feira em Fresselines, importante burgo situado a algumas léguas dali, o qual poderia ser atingido através da estrada principal, bastante sinuosa, ou por atalhos.

Na sexta-feira, escolheu a estrada principal e nada avistou que despertasse sua atenção. Nenhum local cercado por muros altos, nenhuma silhueta de antigo castelo. Almoçou numa estalagem de Fresselines, e dispunha-se a partir quando viu chegar Papai Charel. Atravessava a praça, empurrando seu carrinho de amolador. Beautrelet pôs-se a segui-lo de longe.

O homenzinho fez duas paradas intermináveis, durante as quais amolou dúzias de facas. Depois, finalmente, partiu por um caminho totalmente diverso, que se dirigia para Crozant e para o burgo de Eguzon.

Beautrelet seguia-o. Depois de cinco minutos de marcha teve a impressão de não ser o único a acompanhar os passos do amolador. Um homem caminhava entre eles, parando e andando, no mesmo ritmo de Papai Charel, sem, aliás, tomar o menor cuidado para não ser visto.

Está sendo vigiado, pensou Beautrelet. Talvez queiram saber se vai para os lados do castelo.

Seu coração disparava. Os acontecimentos estavam se precipitando.

Os três, um atrás do outro, subiam e desciam ladeiras íngremes através dos campos. Finalmente chegaram a Crozant. Ali, Papai Charel fez uma parada de uma hora. Depois desceu o rio e atravessou a ponte. Aconteceu, então, um fato que surpreendeu Beautrelet. O segundo homem não atravessou o rio. Ficou olhando Papai Charel se afastar e, quando o perdeu de vista, encaminhou-se para uma picada que o levou para o meio do campo.

Que fazer? Beautrelet hesitou alguns segundos, depois decidiu seguir o indivíduo.

O homem deve ter constatado, raciocinou ele, que Papai Charel seguiu direto. Tranquilizou-se e vai embora. Para onde? Para o castelo?

Estava atingindo seu objetivo. Sentia isso por uma espécie de alegria dolorosa.

O homem penetrou num bosque escuro que dominava o rio, depois apareceu de novo, em plena claridade, na linha do horizonte da picada. Quando Beautrelet saiu do bosque, ficou surpreso de não mais avistá-lo. Procurava-o com o olhar, quando, súbito, abafou um grito e saltou para trás das árvores. À sua direita erguiam-se altas muralhas, reforçadas, a intervalos regulares, por maciços contrafortes.

Era ali! Era ali! Aqueles muros aprisionavam seu pai! Havia encontrado o local secreto onde Lupin guardava suas vítimas.

Não ousou mais deixar o abrigo que lhe oferecia a folhagem cerrada do bosque. Devagar, quase que se arrastando sobre o ventre, aproximou-se pela direita, alcançando o alto de uma elevação que se nivelava com a copa das árvores próximas ao muro. As muradas eram mais altas ainda. Mas ele podia avistar o telhado do castelo, um velho telhado à Luís XIII dominado por pequeninos campanários dispostos em círculo, em volta de uma flecha mais alta e bem aguda.

Beautrelet não fez mais nada. Precisava refletir e preparar seu plano de ataque sem deixar nada ao acaso. Senhor da situação, era agora a sua vez de escolher a hora e forma do combate. Resolveu ir embora.

Perto da ponte cruzou com duas camponesas que carregavam baldes cheios de leite. Perguntou-lhes:

— Como se chama aquele castelo, ali atrás das árvores?

— Aquele é o Castelo da Agulha.

Havia feito a pergunta sem lhe dar grande importância. A resposta o transtornou.

— O Castelo da Agulha? Ah! Mas que lugar é este? É a região de Indre?

— Oh, não! Indre fica do outro lado do rio. Aqui é a região de Creuse (oca).

Isidore sentiu-se maravilhado. O Castelo da Agulha! A região de Creuse! A Agulha Oca! A própria chave do documento! A vitória assegurada, definitiva, total!

Sem dizer mais nada, virou as costas às mulheres e foi embora, cambaleando de emoção.

Capítulo 6
UM SEGREDO HISTÓRICO

Beautrelet decidiu rápido: agiria sozinho. Prevenir a justiça era perigoso demais. Além de não poder apresentar senão suposições, temia a lentidão da justiça, as infalíveis indiscrições, um longo inquérito prévio, durante o qual Lupin, inevitavelmente prevenido, teria tempo suficiente para executar a retirada.

No dia seguinte, às oito da manhã, com seu pacote debaixo do braço, deixou a estalagem onde estava hospedado, perto de Cuzion, e na primeira moita que encontrou desfez-se de suas roupas de operário, voltando a ser o jovem pintor inglês. Depois foi apresentar-se ao tabelião de Eguzon, o maior burgo daquela região.

Disse a ele que a cidade lhe agradava e que, se encontrasse uma residência que lhe conviesse, ali se instalaria com seus parentes. O homem indicou-lhe, então, várias propriedades. Beautrelet insinuou que lhe haviam falado sobre o Castelo da Agulha, ao norte de Creuse.

— Mas o Castelo da Agulha, que aliás pertence a um cliente meu, não está à venda.

— Seu cliente mora lá?

— Morava, ou melhor, a mãe dele morava. Mas ela achava o castelo um pouco triste. Por isso resolveram deixá-lo.

— E ninguém mora lá?

— Sim, um italiano, o Barão Anfredi, a quem meu cliente alugou o castelo no verão.

— Ah, o Barão Anfredi!... Um homem ainda jovem e meio pedante...

— Francamente, não sei... Meu cliente tratou diretamente com ele... Não houve nem contrato... Apenas uma carta...

— Mas o senhor conhece o barão?

— Não, ele nunca sai do castelo. Às vezes parece que sai de carro, à noite. As compras são feitas por uma cozinheira velha que não fala com ninguém. Gente esquisita...

— Seu cliente não consentiria em vender o castelo?

— Não creio. É um castelo histórico, do mais puro estilo Luís XIII. Meu cliente gostava muito dele. Se não mudou de opinião...

— O senhor poderia me dar o nome dele?

— Louis Valméras, Rue du Mont-Thabor, 34.

Beautrelet tomou o trem para Paris, na estação mais próxima. Dois dias depois, após três visitas infrutíferas, encontrou enfim Louis Valméras. Era um homem de aproximadamente trinta anos, com uma fisionomia aberta e simpática. Beautrelet, achando inútil disfarçar, apresentou-se, contou seus esforços e o objetivo de seu procedimento.

— Tenho todos os motivos para acreditar — concluiu — que meu pai está preso no Castelo da Agulha, em companhia, sem dúvida, de outras vítimas. Venho perguntar-lhe o que sabe a respeito de seu locatário, o Barão Anfredi.

— Pouca coisa. Encontrei o barão no inverno passado, em Monte Carlo. Tendo sabido, por acaso, que eu era proprietário de um castelo, e como desejava passar o verão na França, fez-me uma proposta de locação.

— Ele é jovem, ainda?

— Sim, com um olhar enérgico e cabelos louros.

— Usa barba?

— Sim. Terminada em duas pontas que caem sobre o colarinho postiço. Este se fecha atrás como o de um padre. Aliás, ele parece mesmo um padre inglês.

— É ele — murmurou Beautrelet. — É ele, tal qual eu o vi... É o seu retrato exato.

— Como?... O senhor acha mesmo?

— Acho. Estou certo de que seu locatário não é outro senão Arsène Lupin.

A história divertiu Louis Valméras. Ele conhecia todas as aventuras de Lupin e as peripécias de sua luta com Beautrelet. Esfregou as mãos.

— O Castelo da Agulha vai ficar célebre... o que não me desagrada, pois no fundo, desde que minha mãe deixou de morar lá, tenho tido vontade de me desfazer dele. Depois disso, então, será fácil encontrar comprador. Só que...

— Sim, diga...

— Peço que aja com muita prudência e que não alerte a polícia, antes de ter plena certeza. Digamos que o meu locatário não seja Lupin...

Beautrelet expôs seu plano. Iria só. Transporia os muros durante a noite e se esconderia no parque. Louis Valméras o interrompeu.

— Não será tão fácil transpor muros daquela altura. Se você o conseguir, será recebido por dois enormes mastins que pertencem à minha mãe e que eu deixei no castelo.

— Ora, uma bolazinha resolve...

— Muito obrigado!... Mas suponhamos que o senhor escape. E depois? Como entrará no castelo? As portas são maciças e as janelas gradeadas. Aliás, uma vez lá dentro, quem iria orientá-lo? Existem oitenta quartos.

— Sim, mas e esse tal quarto com duas janelas, no segundo andar?

— Eu o conheço. Nós o chamamos de quarto das glicínias. Mas como irá você encontrá-lo? Existem três escadas e um labirinto de corredores. Por mais que eu lhe explique o caminho a seguir, se perderá.

— Venha comigo — disse, rindo, Beautrelet.

— Impossível. Prometi à minha mãe que iria encontrá-la no Midi.

Beautrelet voltou para a casa de um amigo onde estava hospedado e começou seus preparativos. Mas, no fim da tarde, quando já se dispunha a partir, recebeu a visita de Valméras.

— Ainda quer minha companhia?

— Claro!

— Pois bem, vou com você. Essa aventura me tenta. Acho que não vamos nos entediar, e me diverte estar metido nisso tudo. Além do mais, minha ajuda não lhe será inútil. Tome, aqui está um começo de colaboração.

Mostrou uma chave grande, toda rugosa de ferrugem e de aspecto venerável.

— E essa chave abre o quê? — perguntou Beautrelet.

— Uma porta dissimulada entre dois contrafortes, abandonada há séculos e que nem me dei ao trabalho de assinalar a meu locatário. Ela dá para o campo, precisamente na orla do bosque.

Beautrelet interrompeu-o bruscamente:

— Eles conhecem essa saída. Foi, evidentemente, por lá que o indivíduo que eu segui penetrou no parque. Vamos, é uma bela partida e nós vamos vencê-la. Mas, diabo, vamos ter que jogar cerrado!

Dois dias mais tarde, puxada por um cavalo faminto, chegava em Crozant uma carroça de ciganos. O carroceiro conseguiu autorização para guardá-la num antigo barracão, no fim da aldeia. Além do carroceiro, que não era outro senão Valméras, havia mais três rapazes ocupados em trançar cadeiras de vime. Eram Beautrelet e dois de seus colegas do liceu.

Ficaram por lá três dias, esperando uma noite propícia e rondando, isoladamente, os arredores do parque. Uma vez, Beautrelet avistou a porta. Instalada entre dois contrafortes, ela quase não era vista, disfarçada por trás de uma cortina de plantas espinhosas, mais o desenho formado pelas pedras do muro. Finalmente, na quarta noite, o céu cobriu-se de grandes nuvens negras e Valméras decidiu que iriam fazer um reconhecimento, preparados para fugir, caso as circunstâncias não lhes fossem favoráveis.

Juntos, os quatro atravessaram o pequeno bosque. Depois Beautrelet arrastou-se entre as urzes, arranhou as mãos na moita de espinhos e, erguendo-se lentamente com gestos contidos, introduziu a chave na fechadura. Virou-a de mansinho. Será que a porta se abriria sob seus esforços? Um ferrolho não a estaria fechando pelo outro lado? Empurrou. A porta se abriu, sem rangidos, suavemente. Entrou no parque.

— Você está aí, Beautrelet? — perguntou Valméras. — Espere por mim! Vocês vigiem a porta para que nossa retirada não seja cortada. Ao menor alerta, apitem uma vez.

Segurou a mão de Beautrelet e ambos sumiram na sombra encorpada das moitas. Um espaço mais claro ofereceu-se a eles quando chegaram à beira de um gramado central. Um raio de lua filtrou-se por entre as nuvens e eles avistaram o castelo com seus pequenos campanários pontudos dispostos em volta dessa flecha afilada, à qual, sem dúvida, ele devia seu nome. Nenhuma luz nas janelas. Nenhum barulho. Valméras segurou o braço de seu companheiro.

— Fique quieto.
— Que foi?
— Os cachorros... lá... está vendo?

Os cachorros rosnaram. Valméras assobiou baixinho. Duas silhuetas brancas pularam e, em quatro saltos, vieram se deitar aos pés do dono.

— Quietinhos, meninos... deitem aí... muito bem... não saiam daí...

E disse para Beautrelet:

— Agora vamos, estou tranquilo.
— Você tem certeza do caminho?
— Sim. Estamos chegando ao terraço.
— E agora?
— Estou me lembrando que à esquerda, num lugar onde o terraço se eleva ao nível das janelas do rés-do-chão, existe uma janela que não fecha direito e que pode se abrir pelo lado de fora.

De fato, quando lá chegaram, com pouco trabalho a janela cedeu. Depois, utilizando um diamante, Valméras cortou um vidro e fez girar o trinco. Pularam o balcão e viram-se finalmente dentro do castelo.

— O cômodo onde estamos — explicou Valméras — encontra-se no extremo do corredor. Depois há um imenso vestíbulo ornado de estátuas e, na extremidade, uma escada que conduz ao quarto ocupado por seu pai. Deu um passo adiante.

— Você não vem, Beautrelet?
— Vou... vou, sim...
— Mas você está parado!... O que é que você tem? Segurou-lhe a mão. Estava gelada. — Reparou que o rapaz se agachara.
— O que é que você tem? — repetiu ele.
— Nada... vai passar.
— Mas, afinal...
— Estou com medo...

— Você está com medo?

É — confessou ingenuamente Beautrelet. — São meus nervos que fraquejam. Em geral eu consigo controlá-los... mas hoje, este silêncio... a emoção... E também, depois daquela facada que levei... mas vai passar... já está passando.

Conseguiu, realmente, levantar-se, e Valméras arrastou-o para fora do quarto. Seguiram, às apalpadelas, por um corredor, e tão silenciosamente que um não conseguia distinguir a presença do outro. Uma vaga claridade, entretanto, parecia iluminar um pouco o vestíbulo para onde se dirigiam. Valméras esticou a cabeça para espiar. Era uma lamparina, colocada embaixo da escada, sobre um aparador que se via por entre os galhos finos de uma palmeirinha.

— Pare! — sussurrou Valméras.

Perto da lamparina havia um homem de sentinela, em pé com uma espingarda na mão. Teria visto? Talvez. Pelo menos alguma coisa o teria alertado, porque levantou a arma.

Beautrelet estava ajoelhado junto a um vaso com arbusto e não se movia mais, o coração batendo loucamente.

Passaram-se momentos aterrorizantes. Dez, quinze minutos. Um raio de lua entrou pela janela da escada. Beautrelet raciocinou, de súbito, que o raio se deslocava e que, antes de se passarem outros dez ou quinze minutos, estaria sobre ele, iluminando-o em pleno rosto.

Gotas de suor caíram de seu rosto sobre suas mãos trêmulas. Sua angústia era tal, que esteve a ponto de levantar-se e fugir. Mas, lembrando-se de que Valméras estava ali, procurou-o, e ficou estupefato ao vê-lo, ou melhor, adivinhá-lo arrastando-se pelas trevas, à sombra dos arbustos e das estátuas, já quase chegando ao pé da escada, a alguns passos da sentinela.

Que estaria fazendo? Iria tentar passar de qualquer jeito? Subir sozinho para libertar o prisioneiro? Mas, conseguiria passar? Beautrelet não o via mais e tinha a impressão de que algo ia acontecer, algo que o silêncio, cada vez mais pesado, mais terrível, parecia pressentir também.

Súbito, uma sombra saltou sobre o homem. A lamparina apagou-se, ouviu-se o barulho de uma luta. Beautrelet acorreu. Os dois corpos tinham rolado sobre as lajes. Isidore ia inclinar-se quando ouviu um gemido rouco, um suspiro, e logo um dos adversários levantou-se e tomou-lhe o braço.

— Rápido!... Vamos!

Era Valméras.

Subiram dois andares e desembocaram na entrada de um corredor atapetado.

— Vire à direita— murmurou Valméras. — A quarta porta do lado esquerdo.

Logo encontraram o quarto. Como era de se esperar, o prisioneiro estava fechado a chave. Precisaram de meia hora. Meia hora de esforços abafados para forçar a fechadura. Finalmente entraram. Tateando, Beautrelet descobriu a cama. Seu pai dormia. Acordou-o de mansinho.

— Sou eu, Isidore... e um amigo... não tenha medo... levante-se e não diga nada...

O pai se vestiu, mas no momento de sair disse em voz baixa:

— Não estou só no castelo.

— Quem mais? Ganimard?... Sholmes?

— Não... pelo menos, não os vi.

— Então quem?

— Uma jovem.

— Senhorita de Saint-Véran?

— Não sei... Avistei-a de longe, várias vezes, no parque... e também quando me debruço na janela vejo-a na sua... Ela me fez sinais.

— Sabe onde é o quarto dela?

— Sim... Neste corredor... Terceira porta à direita.

— O quarto azul — murmurou Valméras. — A porta tem dois batentes. Será mais fácil de abrir.

Muito rápido, com efeito, um dos batentes cedeu. O velho Beautrelet encarregou-se de avisar a moça. Dez minutos depois, saía do quarto com a jovem e dizia a seu filho:

— Você tinha razão... É Senhorita de Saint-Véran.

Desceram os quatro. Ao pé da escada, Valméras parou e inclinou-se sobre o homem estendido no chão. Depois, guiando-os para o quarto do terraço, disse:

— A sentinela não morreu... Vai sobreviver.

— Ainda bem — fez Beautrelet aliviado.

Por sorte, a lâmina de minha faca dobrou... o golpe não foi mortal. E depois, ora, esses patifes não merecem piedade.

Do lado de fora foram recebidos pelos cachorros, que os acompanharam até a porta. Lá, Beautrelet reencontrou seus dois amigos e o pequeno grupo saiu do parque. Eram três horas da madrugada.

Essa primeira vitória não podia bastar para Beautrelet. Assim que terminou de instalar seu pai e a moça, interrogou-os sobre as pessoas que moravam no castelo e, particularmente, sobre os hábitos de Arsène Lupin. Soube, então, que Lupin só aparecia de três em três, ou de quatro em quatro dias, chegando à noite, de automóvel, e partindo na manhã seguinte. A cada viagem visitava seus dois prisioneiros, e todos os dois estavam de acordo em elogiar suas atenções e extrema gentileza. No momento, não devia estar no castelo.

Além dele não haviam visto mais ninguém, a não ser uma velha, encarregada da cozinha e da arrumação, e dois homens que os vigiavam alternadamente e que não lhes dirigiam palavra. Eram, evidentemente, dois subalternos, a julgar por suas atitudes e fisionomias.

Dois cúmplices, de qualquer maneira — concluiu Beautrelet. — Ou melhor, três, com a velha. Essa caça não é de se desdenhar. E, se não perdermos tempo...

Pegou a bicicleta e foi depressa ao burgo de Eguzon. Acordou a polícia, pôs todo mundo em polvorosa, conseguiu fazer com que os policiais montassem seus cavalos e voltou a Crozant, às oito horas, seguido pelo sargento e seis homens da polícia montada local.

Dois homens ficaram de sentinela, ao lado da carroça. Dois outros postaram-se diante da porta da muralha. Os dois últimos, comandados por seu chefe e acompanhados por Beautrelet e Valméras, dirigiram-se para a entrada principal do castelo. Tarde demais. A porta estava aberta de par em par. Um camponês informou-os de que, uma hora antes, havia visto um automóvel sair do castelo.

A busca não deu o menor resultado. Segundo todas as probabilidades, o bando tinha se instalado ali provisoriamente. Acharam alguns molambos, alguma roupa, utensílios domésticos e só.

O que mais espantou Beautrelet e Valméras foi o desaparecimento do ferido. Não conseguiram encontrar o menor vestígio da luta, nem mesmo uma gota de sangue sobre as lajes do vestíbulo.

Em suma, nenhum testemunho material poderia comprovar a passagem de Lupin pelo Castelo da Agulha, e poder-se-ia duvidar das afirmativas de Beautrelet, de seu pai, de Valméras e de Senhorita de Saint-Véran se não houvessem descoberto, no quarto pegado ao que a moça ocupava, uma meia dúzia de lindos buquês de flores nos quais estavam pregados cartões de visita de Arsène Lupin. Buquês desdenhados por ela, murchos, esquecidos. Um deles, além do cartão, trazia uma carta que não tinha sido percebida por Raymonde. De tarde, quando a carta foi aberta pelo juiz, encontraram nela dez páginas de preces, súplicas, promessas, ameaças, desespero, toda a loucura de um amor que não conheceu senão o desprezo e a repulsa. A carta terminava assim: Virei terça-feira à noite, Raymonde. Até lá, reflita. De minha parte estou pronto para tudo.

Terça-feira era a própria noite em que Beautrelet tinha libertado Senhorita de Saint-Véran.

Todos se lembram da formidável explosão de surpresa e de entusiasmo que estourou pelo mundo inteiro com a notícia desse desfecho imprevisto. Senhorita de Saint-Véran libertada! A moça desejada por Lupin, para a qual ele havia arquitetado suas mais maquiavélicas combinações, arrancada de suas garras! Libertado, também, o velho Beautrelet, aquele que Lupin, em seu desejo exagerado de conseguir o armistício necessitado pela exigência de sua paixão, aquele que Lupin tinha escolhido como refém! Os dois prisioneiros estavam livres!

E o segredo da Agulha, que se pensava ser impenetrável, tornava-se conhecido, publicado, jogado aos quatro cantos do universo.

Realmente, o povo se divertiu. Fizeram-se canções sobre o aventureiro vencido: Os amores de Lupin... Os soluços de Arsène... O ladrão amoroso... Queixumes do gatuno... Tudo isso se cantava pelas avenidas, tudo isso se cantarolava no trabalho.

Pressionada por perguntas, perseguida pelos jornalistas, Raymonde dava respostas extremamente reservadas. Mas a carta estava ali, e os buquês de flores e toda aquela patética aventura. Lupin, achincalhado, ridicularizado, caiu de seu pedestal. E Beautrelet virou ídolo. Ele tinha observado tudo, profetizado tudo, elucidado tudo. O depoimento que Senhorita de Saint-Véran fez ao juiz sobre seu sequestro viera confirmar a hipótese imaginada pelo rapaz. A realidade parecia submeter-se, sob todos os aspectos, ao que ele decretara previamente. Lupin tinha encontrado seu mestre, finalmente.

Beautrelet exigiu que seu pai, antes de voltar para as montanhas da Savoia, repousasse durante alguns meses ao sol. Conduziu-o, então, junto com Senhorita de Saint-Véran, para os arredores de Nice, onde o Conde de Gesvres e sua filha Suzanne estavam instalados para o inverno. Dois dias depois Valméras trazia sua mãe para perto de seus novos amigos, formando, assim, uma pequena colônia agrupada em volta da casa dos Gesvres, colônia essa vigiada noite e dia por meia dúzia de homens empregados pelo conde.

No começo de outubro, Beautrelet, estudante de retórica, retornou a Paris para se preparar para os exames. E a vida recomeçava, calma, desta vez, sem incidentes. Aliás, o que poderia acontecer? A guerra não estava acabada?

Lupin, por seu lado, devia ter a sensação bem clara de que nada mais podia fazer senão resignar-se com o fato consumado. Isto porque, um belo dia, suas duas outras vítimas, Ganimard e Sholmes, reapareceram. A volta de ambos à circulação, aliás, foi muito carente de prestígio. Foram encontrados por um apanhador de papel, no Quai des Orfcvres, em frente à chefatura de polícia. Estavam os dois amarrados e narcotizados.

Depois de uma semana de completo atordoamento, conseguiram retomar o controle de suas ideias e contaram — ou melhor, Ganimard contou, porque Sholmes fechou-se no mais obstinado mutismo — que haviam feito, a bordo do iate LHirondelle, uma viagem em volta da África, viagem essa encantadora, instrutiva, onde eles podiam se considerar livres, a não ser durante certas ocasiões, quando ficavam no porão, enquanto a tripulação descia em portos exóticos. Quanto ao desembarque no Quai des Orfcvres, não se lembravam de nada. Sem dúvida deviam estar adormecidos há vários dias.

A libertação dos dois policiais era a confissão da derrota. E, ao encerrar a luta, Lupin proclamava essa derrota sem restrições.

Um acontecimento, aliás, veio torná-la ainda mais evidente: o noivado de Louis Valméras com Senhorita de Saint-Véran. Dentro da intimidade criada entre eles pelas atuais condições de suas existências, acabaram se apaixonando. Valméras amou o encanto melancólico de Raymonde, e ela, ferida pela vida, ávida de proteção, admirou a força e a energia daquele que tão valentemente havia contribuído para salvá-la.

Esperou-se o dia do casamento com uma certa ansiedade. Procuraria Lupin retomar a ofensiva? Aceitaria ele, de boa vontade, a perda irremediável da mulher que amava? Duas ou três vezes, indivíduos com caras suspeitas foram vistos rondando a casa. E, uma noite, Valméras foi obrigado a se defender de um suposto bêbado, que atirou contra ele com uma pistola, furando a bala o seu chapéu. Mas a cerimônia acabou se realizando na data e hora fixadas, e Raymonde de Saint-Véran tornou-se Mme. Louis Valméras.

Parecia que o próprio destino tinha tomado o partido de Beautrelet e referendado o certificado de sua vitória. A multidão o sentiu tão bem, que foi nesse momento que apareceu entre seus admiradores a ideia de um grande banquete para celebrar o seu triunfo e a derrota total de Lupin. Ideia maravilhosa que causou grande entusiasmo. Em quinze dias houve trezentas adesões. Distribuíram-se convites em todos os liceus de Paris, à razão de dois alunos por classe de retórica. A imprensa entoou hinos. E o banquete foi o que não poderia deixar de ser: uma apoteose.

Mas uma apoteose encantadora e simples, já que o herói era Beautrelet. Sua presença foi o suficiente para recolocar as coisas dentro de suas devidas medidas. Mostrou-se modesto como sempre, um pouco surpreso com os excessivos vivas, um pouco constrangido com os elogios hiperbólicos, em que se afirmava sua superioridade sobre os mais ilustres policiais... um pouco constrangido, mas também muito emocionado. Ele o confessou, em algumas palavras que agradaram a todos, perturbado como um menino que cora ao ser olhado. Falou da sua alegria e do seu orgulho. Na verdade, por mais razoável e senhor de si que ele fosse, sentiu nessa ocasião minutos de inesquecível embriaguez. Sorria para seus amigos, seus colegas do Janson, para Valméras, vindo especialmente para aplaudi-lo, para Sr. de Gesvres e para seu pai.

Quando ele terminava de falar, segurando ainda o copo do brinde na mão, ouviu-se um barulho de vozes na extremidade da sala e viu-se alguém gesticulando e agitando um jornal. Restabeleceu-se o silêncio, o importuno tornou a sentar-se, mas um frêmito de curiosidade propagava-se em volta da mesa. O jornal passava de mão em mão, e cada vez que um dos convivas passava os olhos pela página ouviam-se exclamações.

— Leiam! Leiam! — gritavam.

Na mesa de honra todos se levantaram. O velho Beautrelet foi buscar o jornal e entregou-o ao filho.

— Leiam! Leiam! — gritavam, mais alto ainda. E outros diziam:

— Escutem!... Ele vai ler!... Escutem!

Em pé, de frente para o público, Beautrelet procurava no jornal que seu pai lhe estendera o artigo que suscitara tamanho rebuliço. Subitamente, ao ver um título sublinhado em azul, ergueu a mão pedindo silêncio e leu, com a voz cada vez mais alterada pela emoção, essas espantosas revelações, que reduziam a nada todos os seus esforços, subvertiam suas teorias sobre a Agulha Oca e acentuavam a inútil vaidade de sua luta contra Arsène Lupin:

"CARTA ABERTA A SR.MASSIBAN, DA ACADEMIA
DE INSCRIÇÕES E BELAS-LETRAS.

"*Senhor diretor,*
A 17 de março de 1679 — note bem, 1679, quer dizer, sob o reinado de Luís XIV — foi publicado, em Paris, um livrinho com o seguinte título:

O MISTÉRIO DA AGULHA OCA

Toda a verdade denunciada pela primeira vez. Cem exemplares impressos por mim e para informação da corte.

Às nove horas da manhã daquele dia 17 de março, o autor, um homem muito jovem, bem-vestido, de nome ignorado, começou a entregar esse livro nas residências das principais personagens da corte. As dez horas, quando ele já havia realizado quatro dessas entregas, foi preso por um capitão da guarda, que o levou ao gabinete do rei e saiu imediatamente à procura dos quatro exemplares distribuídos. Quando os cem exemplares foram reunidos, contados, folheados cuidadosamente e verificados, o rei em pessoa atirou-os ao fogo, menos um, que conservou em seu poder. Em seguida encarregou o capitão da guarda de conduzir o autor do livro a Sr. de Saint-Mars, que o mandou encarcerar, primeiramente em Pignerol, depois na fortaleza da ilha de Sainte-Marguerite. Esse prisioneiro não era outro senão o famoso Máscara de Ferro.

Nunca a verdade teria vindo à tona, ou pelo menos parte da verdade, se o capitão da guarda não houvesse assistido à entrevista e aproveitado um momento em que o rei estava de costas para retirar do fogo um outro exemplar. Seis meses mais tarde, esse capitão foi encontrado morto na estrada de Gaillon a Nantes. Seus assassinos o haviam despojado de todas as suas roupas, esquecendo, em seu bolso direito, uma joia que foi descoberta mais tarde — um diamante de extraordinária pureza e valor considerável.

Em seus papéis foi encontrada uma nota manuscrita. Ela não falava sobre o livro salvo das chamas, mas dava um resumo de seus primeiros capítulos. Tratava-se de um segredo que fora conhecido dos reis da Inglaterra, perdido por eles no momento em que a coroa do pobre e louco Henrique VI passou para a cabeça do Duque de York, segredo mais tarde desvendado ao rei da França, Carlos VII, por Joana DArc, e que, tornando-se segredo de Estado, foi transmitido de soberano a soberano por uma carta, sempre lacrada, que era encontrada no leito de morte de cada rei, com a menção: Para o rei da França. Esse segredo dizia respeito à existência e determinava o local onde se escondia um tesouro imenso, de propriedade dos reis e acrescido cada vez mais, de século para século. Mas, cento e catorze anos depois, Luís XVI, prisioneiro no Templo, chamou à parte um dos oficiais encarregados de vigiar a família real e lhe disse:

— O senhor não teve, sob o reinado de meu avô, o Grande Rei, um ancestral que servia como capitão da guarda?

— Sim, sire.

— Pois bem, seria o senhor homem para… homem bastante para…? O rei hesitava. O oficial, então, completou a frase: 'Para não trair o senhor? Oh, sire…'

— Então, escute.

O rei retirou do bolso um livrinho, do qual arrancou uma das últimas páginas. Depois, mudando de ideia, disse:

— Não, é melhor eu copiar.

Pegou uma grande folha de papel, rasgou-a de maneira a só ficar um pequeno pedaço retangular, no qual escreveu cinco linhas de pontos, de linhas e de algarismos, copiados da página retirada do livrinho. Em seguida queimou a página e dobrou em quatro o papel manuscrito, selando-o com lacre.

— Senhor, após minha morte, entregue isto à rainha e diga-lhe: Da parte do rei, senhora… para Vossa Majestade e para vosso filho… Se ela não compreender…

— Se ela não compreender…

— O senhor acrescentará: Trata-se do segredo da Agulha. A rainha compreenderá, então.

Tendo falado, jogou o livrinho entre as brasas que ardiam na lareira.

No dia 21 de janeiro subia ao cadafalso.

Foram necessários dois meses para que o oficial pudesse desincumbir-se da missão, devido à transferência da rainha para a Conciergerie. Finalmente, à força de hábeis manobras e intrigas, conseguiu um dia encontrar-se em presença de Maria Antonieta. Disse-lhe baixinho, para que só ela ouvisse:

— Da parte do falecido rei, senhora, para Vossa Majestade e vosso filho.

E entregou-lhe o papel lacrado.

Ela certificou-se de que os guardas não a viam, rompeu o lacre, pareceu surpresa à vista daquelas linhas indecifráveis, mas logo em seguida pareceu entender. Sorriu amargamente, e o oficial ouviu-a murmurar:

— Por que tão tarde?

A rainha hesitava. Onde guardar documento tão perigoso? Finalmente abriu seu livro de orações e, numa espécie de bolso secreto, inserido entre o couro da encadernação e o pergaminho que o recobria, introduziu a folha de papel.

— Por que tão tarde? — havia dito.

É provável realmente que, se o documento pudesse significar sua salvação, chegara tarde demais, já que alguns meses depois, em outubro, a Rainha Maria Antonieta subia, por sua vez, ao cadafalso.

Ora, esse oficial, ao folhear papéis de sua família, encontrou uma nota manuscrita de seu bisavô, capitão da guarda de Luís XIV. A partir desse instante só teve um pensamento: o de consagrar seus lazeres a elucidar o estranho problema. Leu todos os autores latinos, percorreu todas as crônicas da França e as dos países vizinhos, introduziu-se nos mosteiros, decifrou os livros de contabilidade, os de cartório, os tratados e conseguiu, desta forma, reencontrar certas citações esparsas através dos tempos.

No Livro III dos Comentários, César conta, sobre a guerra das Gálias, que depois da derrota de Viridovix por G. Titulius Sabinus, o chefe dos calcetas foi levado diante de César e, como resgate, desvendou o segredo da Agulha.

No Tratado de Saint-Clair-sur-Epte, entre Carlos, o Simples, e Roll, chefe dos bárbaros do norte, o nome de Roll é seguido por todos os seus títulos, entre os quais se lê: *Senhor do Segredo da Agulha*.

A crônica saxônica (edição de Gibson, página 134), falando de Guilherme, o Vigoroso (Guilherme, o Conquistador), conta que a haste de seu estandarte terminava em uma ponta aguçada e atravessada por uma fenda, como se fosse uma agulha.

Em uma frase bastante ambígua de seu interrogatório, Joana d'Arc confessa que tem ainda algo de secreto a transmitir ao rei da França, ao que seus juízes respondem: Sim, nós sabemos qual é o assunto, e é por isso mesmo, Joana, que você morrerá. — Pela virtude da Agulha! — jura algumas vezes o bom Rei Henrique IV.

Anteriormente, Francisco I, discursando para as personagens importantes do Havre em 1520, pronunciou esta frase que nos é transmitida por um burguês de Honfleur:

— Os reis da França são detentores de segredos que regulamentam a conduta das coisas e os destinos das cidades.

Todas essas citações, senhor diretor, todas essas narrativas que dizem respeito ao Máscara de Ferro, ao capitão da guarda e seu bisneto, reencontrei-as hoje, em uma brochura escrita precisamente por esse bisneto e publicada em junho de 1815, na véspera, ou no dia seguinte à Batalha de Waterloo, isto é, num período convulsionado, quando as revelações que ela continha passariam despercebidas.

De que vale essa brochura? Nada, me dirá o senhor, e não devemos dar-lhe nenhum crédito. Foi essa a minha primeira impressão. Mas qual não foi o meu espanto ao abrir os Comentários de César na página indicada e encontrar a frase citada na brochura! Mesma constatação no que diz respeito ao Tratado de Saint-

-Clair-sur-Epte, à crônica saxônica, ao interrogatório de Joana d'Arc, a tudo, enfim, que me foi possível verificar até agora.

Existe um fato ainda mais preciso, relatado pelo autor da brochura de 1815. Quando estava servindo a Napoleão, como oficial, durante a campanha da França, seu cavalo morreu de exaustão e ele acabou batendo à porta de um castelo, onde foi recebido por um ancião, cavaleiro da Ordem de Saint-Louis. Pouco a pouco soube, durante a conversa com o ancião, que o castelo, situado à margem do Creuse e chamado Castelo da Agulha, tinha sido construído e batizado por Luís XIV, e que, sob sua ordem expressa, havia sido ornado com pequenos campanários e uma flecha que simbolizava a agulha. Ostentava, e deve ostentar ainda, a data de 1680.

Mil seiscentos e oitenta! Um ano após a publicação do livro e da prisão do Máscara de Ferro. Tudo se explicava. Luís XIV, prevendo que o segredo poderia ser divulgado, tinha construído e batizado o castelo para oferecer aos curiosos uma explicação natural do antigo mistério. A Agulha Oca? Um castelo com campanários pontudos, situado à margem do Creuse e pertencente ao rei. De imediato, acreditava-se ter encontrado a chave do enigma e as buscas cessavam.

Bem calculado, já que dois séculos mais tarde Sr. Beautrelet caiu na armadilha. E é nesse ponto que eu queria chegar, senhor diretor, ao escrever esta carta. Se Lupin, sob o nome de Anfredi, alugou de Sr. Valméras o Castelo da Agulha à beira do Creuse, se ele alojou ali seus dois prisioneiros, é que ele admitia o sucesso das inevitáveis buscas de Sr. Beautrelet e que, com o intuito de conseguir a paz que pedira, preparava a Sr. Beautrelet precisamente aquilo que poderíamos chamar de armadilha histórica de Luís XIV.

E daí chegamos à seguinte conclusão irrefutável: que ele, Lupin, apenas com suas luzes, sem conhecer outros fatos senão os que nós conhecemos, conseguiu, pelos sortilégios de seu gênio realmente extraordinário, decifrar o indecifrável documento. Lupin, último herdeiro dos reis da França, conhece o real mistério da Agulha Oca."

O artigo acabava ali. Mas desde a passagem concernente ao Castelo da Agulha, não era mais Beautrelet quem lia.

Compreendendo sua derrota, esmagado pelo peso da humilhação largara o jornal e deixara-se cair numa cadeira, com o rosto tapado pelas mãos.

Ofegantes e sacudidos de emoção pela incrível história, todos se tinham aproximado e agora se comprimiam em volta de Beautrelet. Esperavam, palpitantes de angústia, as palavras que ele iria pronunciar, as objeções que iria levantar.

Ele não se mexeu.

Com um gesto carinhoso, Valméras afastou suas mãos e levantou-lhe a cabeça.

Isidore Beautrelet chorava.

Capítulo 7
O TRATADO DA AGULHA

Às quatro horas da madrugada. Isidore não havia voltado para o liceu, nem voltará antes do fim da guerra sem tréguas que declarou contra Lupin. Isso ele jurou baixinho para si mesmo, enquanto seus amigos o levavam de carro para casa, magoado e quase desfalecido. Juramento insensato! Guerra absurda e ilógica! Que podia ele fazer, só e desarmado, contra esse fenômeno de energia e potência? Por onde atacar? Ele é inatacável! Onde feri-lo? Ele é invulnerável! Onde atingi-lo? Ele é inacessível!

Naquela hora da madrugada Isidore aceitou de novo a hospitalidade de seu colega do Janson. De pé, diante da lareira do quarto, os cotovelos plantados sobre o mármore e o queixo apoiado nos punhos, ele fita seu rosto refletido no espelho.

Não chora mais. Não quer mais chorar nem se contorcer sobre o leito, nem se desesperar, como vinha fazendo há duas horas. Quer refletir... refletir e compreender.

E ele fita incessantemente seus próprios olhos dentro do espelho, como se pudesse duplicar a força de seu pensamento ao contemplar aquela imagem pensativa, e encontrar naquele ser do lado de lá do espelho a impossível solução que não encontrava dentro de si. Ficou assim até as seis horas. Depois, pouco a pouco, desembaraçado de todos os detalhes que a complicavam e obscureciam, a verdade ofereceu-se à sua compreensão, nua e crua, com o rigor de uma equação.

Sim, ele se enganara. Sua interpretação do documento era falsa. A palavra agulha não se referia ao castelo à margem do Creuse. Do mesmo modo, a palavra *demoiselles* não podia se referir a Raymonde de Saint-Véran e sua prima, já que o texto do documento existe há vários séculos.

Logo, tudo terá que ser recomeçado. Mas como?

Uma única base de documentação seria sólida: o livro publicado na época de Luís XIV. Ora, dos cem exemplares impressos pelo homem que parece ter sido o Máscara de Ferro, apenas dois escaparam às chamas. Um foi subtraído pelo capitão da guarda e acabou se perdendo. O outro foi conservado por Luís XIV, transmitido a Luís XV e queimado por Luís XVI. Mas restou uma cópia da página essencial, a que contém a solução do problema. Ou, pelo menos, a solução criptográfica, a que foi entregue a Maria Antonieta e guardada por ela sob a capa de seu livro de orações.

Que terá acontecido a esse papel? Seria o que Beautrelet teve entre as mãos e Lupin mandou roubar pelo escrivão Brédoux? Ou ele se encontraria ainda no livro de orações de Maria Antonieta?

A pergunta passou, então, a ser a seguinte: o que aconteceu ao livro de orações da rainha?

Após haver descansado um pouco, Beautrelet interrogou o pai de seu amigo, emérito colecionador, frequentemente solicitado como perito, e que recentemente havia sido chamado pelo diretor de um dos museus de Paris para organizar seu catálogo.

O livro de orações de Maria Antonieta? — exclamou ele. — Foi legado pela rainha à sua camareira, junto com a missão secreta de entregá-lo ao Conde Fersen. Piedosamente conservado pela família do conde, encontra-se há cinco anos dentro de uma vitrina.

— Qual vitrina?

— Do Museu Carnavalet.

— E esse museu abre a que horas?

— Daqui a vinte minutos.

No momento exato em que se abriam as portas da velha mansão de Mme. de Sévigné, Isidore saltava do carro com seu amigo.

— Olhem!... é Beautrelet!

Dez vozes saudaram sua chegada. Para seu grande espanto, reconheceu a turma completa de repórteres que trabalhavam no Caso da Agulha Oca. Um deles exclamou:

— Que engraçado! Nós todos tivemos a mesma ideia. Mas cuidado, talvez Arsène Lupin esteja entre nós.

Entraram juntos. O diretor, logo prevenido, colocou-se à completa disposição de todos. Levou-os até uma vitrina e mostrou-lhes um livro modesto, sem o menor enfeite. Sentiram-se emocionados ao contemplar o livro que a rainha havia tocado naqueles dias tão trágicos, que seus olhos vermelhos de pranto haviam percorrido. E não se atreviam a examiná-lo, pois tinham a impressão de que iam cometer um sacrilégio.

— Vamos, Sr. Beautrelet. Essa tarefa é de sua competência.

Isidore pegou o livro, com ansiedade. O livro correspondia exatamente à descrição dada pelo autor da brochura. Primeiro, uma capa de pergaminho, manchado, enegrecido, gasto em certas partes e, por baixo, a verdadeira encadernação em couro grosso.

Com que emoção Beautrelet procurou pelo bolso secreto! Seria uma lenda? Ou iria ele reencontrar o documento escrito por Luís XVI e legado pela rainha a seu fervoroso amigo?

Na primeira página, na parte superior do livro, nenhum esconderijo.

— Nada... — murmurou ele.

— Nada... — repetiram, palpitantes, os outros. Mas, na última página, tendo forçado um pouco a abertura do livro, viu imediatamente que o pergaminho se afastava da capa. Introduziu os dedos... Havia alguma coisa, sim... Sentia qualquer coisa... Um papel!

— Oh! — exclamou vitoriosamente.

— Está aqui!... será possível?

— Depressa!... Depressa!... O que está esperando? — gritaram.

Puxou uma folha, dobrada em dois.

— Vamos logo, leia!... Há umas palavras escritas com letra vermelha... Olhe... parece sangue... sangue muito esmaecido... leia depressa! E Isidore leu:

" A você, Fersen. Para meu filho, 16 de outubro de 1793... Maria Antonieta."

Súbito, Beautrelet soltou uma exclamação de espanto. Debaixo da assinatura da rainha havia, escritas com tinta negra, duas palavras sublinhadas: Arsène Lupin. Todos, um por um, agarraram a folha, e de todos escapou o mesmo grito:

— Maria Antonieta... Arsène Lupin!

O silêncio os reuniu. A dupla assinatura, os dois nomes reunidos descobertos no fundo daquele livro de orações, relíquia onde dormia há mais de um século o apelo desesperado de uma pobre rainha, aquela data horrível, 16 de outubro de 1793, dia em que tombou a cabeça real, tudo aquilo era trágico, sombrio e desconcertante.

— Arsène Lupin... — balbuciou um dos presentes, sublinhando assim o que havia de incrível em se encontrar aquele nome diabólico sob uma página sagrada.

— Sim, Arsène Lupin — repetiu Beautrelet. — O amigo da rainha não soube compreender o apelo desesperado da condenada. Viveu com a lembrança que lhe enviara aquela que amava, e não adivinhou a razão dessa lembrança. Lupin, ele sim, descobriu tudo... e levou...

— Levou o quê?

— O documento, que diabo! O documento escrito por Luís XVI! Foi isso que eu tive entre as mãos! Mesma aparência, mesma configuração, mesmo selo de lacre. Entendo por que Lupin não quis deixar em meu poder um documento do qual eu poderia tirar partido apenas pelo exame do papel, marcas de lacre, etc...

— E então?

— Então, já que o documento do qual conheço o texto é autêntico, já que vi a marca vermelha do lacre, já que a própria Maria Antonieta certifica, por esse bilhete de seu punho, que toda a narrativa da brochura escrita por Sr. Massiban é autêntica, já que existe, na realidade, um mistério histórico da Agulha Oca, tenho certeza de que o resolverei.

— Como? Autêntico ou não, se o senhor não conseguir decifrar o documento, ele não servirá para nada, já que Luís XVI destruiu o livro que continha a explicação.

— Sim, mas outro exemplar, arrancado às chamas pelo capitão da guarda de Luís XIV, não foi destruído.

— Como é que o senhor sabe?

— Prove o contrário, se puder.

Beautrelet calou-se. Depois, lentamente, de olhos fechados, como se procurasse resumir suas ideias, explicou:

— De posse do segredo, o capitão da guarda começa por revelar algumas parcelas no diário que seu bisneto encontrou. Em seguida, silencia. A palavra-chave ele não dá. Por quê? Porque a tentação de utilizar o segredo se infiltra nele, pouco a pouco, e ele sucumbe a essa tentação. Provas? Seu assassinato. A joia magnífica descoberta em seu bolso que, indubitavelmente, ele havia retirado do tal tesouro real... e cujo esconderijo, desconhecido de todos, constitui, precisamente, o mistério da Agulha Oca. Isso, Lupin me deu a entender. Lupin não estava mentindo.

— De maneira que, Sr. Beautrelet, quais são suas conclusões?

— Concluo que é preciso fazer em torno dessa história o máximo de publicidade possível, e que se saiba, através da imprensa, que estamos procurando um livro intitulado O Tratado da Agulha. Talvez o descubram no fundo de alguma biblioteca de província.

A nota foi redigida e, logo depois, sem mesmo esperar que ela produzisse resultado, Beautrelet pôs mãos à obra.

Havia um indício para começar: o assassinato fora cometido nos arredores de Gaillon. No mesmo dia, Isidore partiu para essa cidade. Claro que ele não esperava reconstituir um crime perpetrado duzentos anos antes. Mas, afinal, existem certos delitos que deixam vestígios na lembrança e nas tradições da região.

As crônicas locais os recolhem. Um dia, um erudito de província, algum entusiasta de lendas antigas, algum evocador de pequenos incidentes do passado, faz deles o objeto de um artigo jornalístico, ou de uma comunicação à academia de sua cidade.

Procurou alguns desses eruditos. Com um deles, um velho notário, Beautrelet esquadrinhou, compulsou os registros da prisão, os registros de antigos cartórios e das paróquias. Nenhum registro fazia alusão ao assassinato de um capitão da guarda, no século XVII.

Não perdeu a esperança e continuou suas buscas em Paris, onde, quem sabe, tivesse corrido o processo. Seus esforços não obtiveram sucesso.

E a possibilidade de outra pista o lançou em nova direção. Seria possível conhecer o nome do capitão da guarda, cujo neto emigrou e cujo bisneto serviu às armas da República, tendo sido destacado para o Templo durante a detenção da família real e servido Napoleão na campanha da França?

Com muita paciência, Beautrelet conseguiu estabelecer uma lista, na qual dois nomes, pelo menos, apresentavam uma semelhança quase completa: Sr. de Larbeyrie, no reinado de Luís XIV, e o cidadão Larbrie, na época do Terror.

Isso já era um dado importante. Destacou-o, por meio de uma notinha que distribuiu para os jornais, solicitando o fornecimento de informações sobre esse tal Larbeyrie ou sobre seus descendentes.

Foi Sr. Massiban, o Massiban da brochura, membro do instituto, quem lhe respondeu:

"Prezado senhor:

Gostaria de chamar sua atenção para uma passagem de Voltaire que encontrei em seu manuscrito O século de Luís XIV, capítulo XXV— Particularidades e anedotas do reino. Essa passagem foi suprimida das várias edições.

Ouvi contar, pelo falecido Sr. de Caumartin, intendente de Finanças e amigo do Ministro Chamillard, que o rei partiu um dia, precipitadamente, em sua carruagem, à notícia de que Sr. de Larbeyrie havia sido assassinado e despojado de suas magníficas joias. O rei parecia tomado de grande emoção e repetia: — Tudo perdido... Tudo perdido... — No ano seguinte, o filho desse Larbeyrie e sua filha, que havia desposado o Marquês de Vélines, foram exilados para suas terras da Provença e da Bretanha. Não há dúvida de que existem aí algumas particularidades.

Há menos razões para dúvida, quando se sabe que Sr. Chamillard foi o último ministro que possuiu o estranho segredo do Máscara de Ferro. Voltaire é quem o diz.

Peço-lhe que note, caro senhor, o proveito que se pode tirar dessa passagem e a ligação evidente que se estabelece entre essas duas aventuras. De minha parte, não ouso imaginar hipóteses muito exatas sobre a conduta, as suspeitas e as apreensões de Luís XIV nessas circunstâncias. Mas não seria possível, por outro lado — já que Sr. de Larbeyrie deixou um filho, que foi provavelmente o avô do Cidadão-Oficial Larbeyrie, e uma filha, supor que uma parte dos papéis deixados por Larbeyrie coubesse à sua filha e que, entre esses papéis, se encontrasse o famoso exemplar que o capitão da guarda salvou das chamas?

Consultei o Anuário dos Castelos. Existe, nas proximidades de Rennes, um Barão de Vélines. Seria ele um descendente do marquês? Pelo sim, pelo não, escrevi ontem a esse barão, para perguntar-lhe se ele não possuía um velho livrinho, cujo título mencionaria essa palavra agulha. Estou esperando a resposta.

Eu teria a máxima satisfação em conversar sobre todas essas coisas com o senhor. Se não lhe for muito incômodo, venha visitar-me. Queira aceitar, caro senhor, meus protestos de elevada estima e consideração.

P. S. — É claro que não *comunicarei aos jornais* essas pequenas descobertas. Agora que o senhor se aproxima de seu alvo, toda discrição é pouca."

Era exatamente essa a opinião de Beautrelet. Ele ainda foi mais longe: tendo sido assediado, naquela manhã, por dois jornalistas, deu-lhes as informações mais fantasiosas sobre seu estado de espírito e seus projetos.

De tarde correu à casa de Massiban, que morava no Quai Voltaire, número 17. Para sua grande surpresa soube que ele partira inesperadamente, deixando, porém, um bilhete, que Isidore logo abriu:

Acabo de receber um telegrama que me deixou bastante esperançoso. Dormirei em Rennes. O senhor poderia tomar o trem noturno e, sem parar em Rennes, continuar até Vélines. Nós nos encontraríamos no castelo, situado a quatro quilômetros da estação.

O programa agradou a Beautrelet, sobretudo a ideia de chegar ao castelo ao mesmo tempo que Massiban, pois temia algum deslize por parte daquele homem inexperiente. Voltou à casa de seu amigo e passou, com ele, o resto do dia. À noite tomou o expresso para a Bretanha, desembarcando em Vélines às seis horas. Fez a pé, entre densos bosques, os quatro quilômetros do caminho. De longe avistou, no alto, um longo solar, de construções bastante híbridas, um misto de Renascença e Luís Filipe, mas de aspecto bastante imponente, com suas quatro torrelas e sua ponte levadiça cercada de hera.

Isidore sentia seu coração bater mais, à medida que se aproximava. Estaria realmente chegando ao término de sua busca? Encontraria no castelo a chave do mistério?

Não estava livre de apreensões. Tudo aquilo lhe parecia bom demais, e ele se indagava se, mais uma vez, não estaria obedecendo a algum plano infernal concebido por Lupin... se Massiban, por exemplo, não estaria sendo um instrumento nas mãos de seu inimigo. Reagiu numa gargalhada:

— Estou ficando cômico! Até parece que Lupin é um homem infalível, uma espécie de Deus todo-poderoso contra quem não há nada a fazer. Que diabo! Lupin também se engana! Ele também está à mercê das circunstâncias. Comete seus erros, e é justamente por causa de um erro que cometeu, ao perder o documento, que estou ganhando terreno sobre ele, agora. Tudo decorre disso. E seus esforços, em suma, servem apenas para tentar reparar o erro cometido. — Alegremente e cheio de confiança, Beautrelet bateu à porta.

— Que deseja, senhor? — perguntou um criado.

— O Barão de Vélines poderia me receber? — disse o rapaz, entregando-lhe o cartão.

— O senhor barão ainda não se levantou, mas se o senhor quiser esperá-lo...

— Esteve aqui uma pessoa procurando por ele... Um senhor de barba branca, ligeiramente curvado? — perguntou Beautrelet, que conhecia Massiban pelas fotografias publicadas nos jornais.

— Sim, esse senhor chegou há dez minutos. Eu o fiz entrar na sala de visitas. Se o senhor quiser fazer o favor de me seguir...

A entrevista de Massiban e Beautrelet foi muito cordial. Isidore agradeceu-lhe pelas excelentes informações, e Massiban expressou-lhe sua admiração da maneira mais calorosa possível. Em seguida trocaram impressões sobre o documento, as possibilidades que teriam de descobrir o livro, tendo Massiban repetido tudo o que soubera a respeito de Sr. de Vélines. O barão era um homem de sessenta anos. Viúvo há muito tempo, vivia afastado de tudo junto com sua filha, Gabrielle de Villemon, que acabara de ser cruelmente atingida pela perda do marido e do primogênito, mortos em um acidente automobilístico.

— O senhor barão pede aos cavalheiros que façam a gentileza de subir.

O criado conduziu-os ao primeiro andar, fazendo-os entrar num vasto cômodo de paredes nuas, mobiliado simplesmente com escrivaninhas, papeleiras e mesas recobertas com documentos. O barão acolheu-os com muita amabilidade e essa grande necessidade de conversar que têm, frequentemente, as pessoas muito solitárias. Mal tiveram tempo de expor o objetivo de suas visitas.

— Ah, sim, eu sei... o senhor me escreveu a esse respeito, Sr. Massiban. Trata-se de um livro a respeito de uma agulha que eu teria herdado de um ancestral, não é mesmo?

— Exatamente.

— Devo lhe dizer que meus ancestrais e eu estamos de relações cortadas. Naquele tempo as pessoas tinham ideias muito esquisitas. Eu pertenço à minha época. Rompi com o passado.

— Está bem — objetou Beautrelet com impaciência. — Mas o senhor nem sequer se lembra de haver visto esse livro?

— Sim, sim, eu lhe telegrafei a esse respeito! — exclamou ele, dirigindo-se a Massiban, que, aborrecido, andava de um lado para o outro da sala, olhando pelas janelas. — Ou pelo menos minha filha pensava ter visto esse título entre os milhares de livros que atulham a biblioteca. Pois eu... sinceramente, meus senhores… a leitura… não leio nem jornal… Minha filha, de vez em quando, lê alguma coisa e olhe lá… Contanto que Georges, o filhinho que lhe restou, esteja bem de saúde… e contanto que as colheitas rendam bem… que meus contratos estejam em ordem… Vejam meus registros… Vivo enterrado nesses assuntos… e confesso que ignoro totalmente as mínimas coisas a respeito dessa história que o senhor me contou em sua carta, Sr. Massiban.

Isidore Beautrelet, cansado de tanta tagarelice, interrompeu-o bruscamente:

— Com licença, senhor, mas então esse livro…

— Minha filha procurou-o… Ela o está procurando desde ontem.

— E então?

— Pois bem, ela o achou… achou-o há uma ou duas horas. Quando os senhores chegaram…

— E onde está ele?

— O livro, onde está? Ela o colocou nesta mesa… olhe, ali mesmo…

Isidore deu um salto. Na ponta da mesa, sobre um amontoado de papéis, havia um livrinho encadernado em marroquim vermelho. Colocou a mão sobre o livro, violentamente, como para impedir que qualquer outra pessoa no mundo o tocasse, e também como se ele mesmo não se atrevesse a tomá-lo para si.

— Então? — exclamou Massiban, emocionado. — Eu o encontrei… Está aqui… Desta vez deu certo.

— Mas e o título… tem certeza?

— Mas claro!… Olhe!

Mostrou as letras gravadas em ouro, no marroquim: "O mistério da Agulha Oca."

— Está convencido? Somos ou não os donos do segredo?

— Na primeira página… O que há na primeira página?

— Veja: "Toda a verdade denunciada pela primeira vez. Cem exemplares impressos por mim e para informação da corte".

— É isso mesmo — murmurou Massiban, com a voz alterada. — É o exemplar arrancado às chamas! É o próprio livro condenado por Luís XIV.

Folhearam o livro. A primeira metade reproduzia as explicações dadas pelo Capitão de Larbeyrie em seu diário.

— Vamos em frente, vamos em frente — disse Beautrelet, com pressa de chegar à solução.

— Calma, calma… Por que a pressa? Já sabemos que o Máscara de Ferro foi aprisionado porque conhecia e queria divulgar o segredo da Casa Real da França. Mas como ele o conhecia? Afinal, quem foi essa estranha personagem? Um meio irmão de Luís XIV, como pretendia Voltaire, ou o ministro italiano Mattioli, como afirma a crônica atual? Essas questões são de primordial interesse!

— Depois... Depois... — interrompeu Beautrelet, como se temesse que o livro escapasse de suas mãos antes que ele desvendasse o enigma.

— Mas — protestou Massiban, a quem os detalhes históricos apaixonavam — nós teremos tempo depois... Vejamos primeiro as explicações.

De repente, Beautrelet arregalou os olhos. O documento! No meio de uma página, à esquerda, seus olhos deram com as cinco linhas misteriosas de pontos e algarismos. Logo à primeira vista constatou que o texto era idêntico ao que ele tanto havia estudado. Mesma disposição dos sinais, mesmos intervalos, permitindo isolar a palavra *demoiselles* e determinar, separando os dois termos da Agulha Oca.

Uma notinha precedia o quadro: Todas as informações necessárias foram reduzidas pelo Rei Luís XIII, ao que parece, em um pequeno quadro, que passo a transcrever.

Seguia-se o quadro e, logo abaixo, a explicação do documento. Beautrelet leu, com voz entrecortada:

— Como se vê, este quadro, mesmo quando os algarismos são trocados por vogais, não traz nenhum esclarecimento. Pode-se dizer que, para decifrar este enigma, é preciso conhecê-lo de antemão. É no máximo um impulso dado àqueles que conhecem os caminhos do labirinto. Vamos aproveitar o impulso e caminhar. Eu servirei de guia.

Comecemos pela quarta linha. Ela contém medidas e indicações. Seguindo-se as indicações e tomando-se as medidas chega-se ao objetivo, com a condição, bem entendido, de saber onde se está e aonde se vai, em resumo, de se estar informado sobre o verdadeiro sentido da Agulha Oca. É o que se pode depreender das três primeiras linhas. A primeira é concebida de maneira a me vingar do rei, eu já o havia prevenido, aliás...

Beautrelet parou espantado.

— Que é?... O que foi? — perguntou Massiban.

— Perdeu o sentido.

— Tem razão — observou Massiban: — A primeira é concebida de maneira a me vingar do rei... O que quer dizer isso?

— Que diabo! — exclamou Beautrelet.

— Que foi?

— Rasgadas!... Duas páginas!... As páginas seguintes!... Olhe aqui os restos!...

Tremia de raiva e decepção. Massiban inclinou-se:

É... restam vestígios de duas páginas. Parece coisa recente. Não foram cortadas, e sim arrancadas... E arrancadas violentamente... Veja, todas as páginas do fim estão amassadas.

— Mas quem? Quem poderia ter feito isso? — gemia Isidore, torcendo as mãos. — Um criado?... Um cúmplice?...

— Isso pode ter sido feito no máximo há alguns meses — observou Massiban.

— Mesmo assim, é preciso que alguém o tenha encontrado primeiro... O senhor — falou Beautrelet, dirigindo-se ao barão. — O senhor não sabe de nada?... Não desconfia de ninguém?

— Poderíamos interrogar minha filha.

— Sim... sim... é isso... Talvez ela saiba de alguma coisa...

Sr. de Vélines chamou um criado. Alguns minutos depois Sra. de Villemon entrou. Era uma mulher jovem, com uma expressão dolorosa e resignada. Beautrelet perguntou-lhe, imediatamente:

— A senhora encontrou este livro na biblioteca?

— Sim, num pacote de livros que não estava desamarrado.

— E a senhora o leu?

— Sim, ontem à noite.

— Quando a senhora o leu, estas duas páginas estavam faltando? Procure lembrar-se... estas duas páginas que seguem este quadro de algarismos e pontos.

— Não, não faltava nenhuma página.

— No entanto, elas foram arrancadas.

— Mas se o livro não deixou meu quarto esta noite!

— E esta manhã?

— Esta manhã eu mesma o trouxe para aqui, quando anunciaram a chegada de Sr. Massiban.

— Quem pode ter sido, então?

— Não sei... não posso compreender... a menos que... Mas... não é possível...

— Não é possível o quê?

— Georges... meu filho... hoje de manhã... Georges brincou com esse livro.

Saiu precipitadamente, acompanhada por Beautrelet, Massiban e o barão. O menino não estava no quarto. Procuraram-no por toda parte. Finalmente o encontraram, brincando atrás do castelo. As pessoas estavam tão agitadas e o interrogavam tão autoritariamente que ele começou a chorar, aos berros. Todo mundo corria para todos os lados. Os criados foram interrogados. Estabeleceu-se um tumulto indescritível. Beautrelet tinha a horrível impressão de que a verdade fugia dele, como água filtrando-se por entre os dedos. Fez um esforço para se dominar, tomou o braço de senhorita de Villemon e, seguido do barão e de Massiban, reconduziu-a ao salão.

— O livro está incompleto... Duas páginas foram arrancadas... Mas a senhora as leu, não é verdade?

— Sim... — Poderia repetir o que leu?

— Perfeitamente. Li o livro todo, com muita curiosidade, mas essas duas páginas, sobretudo, me impressionaram bastante, devido ao interesse das revelações.

— Pois bem, fale, minha senhora, fale, eu lhe peço. Essas revelações têm uma importância muito grande. Fale, por favor, os minutos perdidos não se recuperam. A Agulha Oca...

— Oh, é muito simples. A Agulha Oca significa... Nesse momento entrou um criado.

— Uma carta para a senhora.

— Carta?... Mas o carteiro já passou!

— Foi um garoto que a trouxe.

A Sra. de Villemon abriu o envelope, leu e levou a mão ao coração, cambaleando repentinamente, lívida e aterrorizada.

O papel caíra-lhe das mãos. Beautrelet o apanhou e, sem mesmo pedir licença, leu também:

— Cale-se... ou seu filho não acordará mais...

— Meu filho... meu filho... — repetia ela, tão abatida que nem podia ir em socorro daquele que estava sendo ameaçado.

Beautrelet acalmou-a.

— Não leve a sério... É uma brincadeira de mau gosto. Ora, quem teria interesse nisso?

— A menos — insinuou Massiban — que seja Arsène Lupin.

Beautrelet fez-lhe um sinal para que se calasse. Ele já sabia muito bem que o inimigo estava por ali atento novamente e resolvido a tudo. Era por isso que desejava arrancar de Mme. de Villemon as palavras supremas, há tanto esperadas. E arrancá-las logo, ali, naquele minuto.

— Eu lhe suplico, senhora, controle-se... Estamos todos aqui... Não há perigo algum...

Iria ela falar? Ele acreditava que sim, esperava que sim. Ela balbuciou algumas sílabas, mas a porta se abriu de novo. Desta vez entrou a governanta. Parecia transtornada.

— O menino!... Georges, senhora!...

No mesmo instante a mãe recobrou suas forças. Impelida por um instinto que não se enganava, ela disparou escada abaixo, atravessou o vestíbulo e correu para o terraço. Lá, numa poltrona, o pequeno Georges estava deitado, imóvel.

— Ora, ele está dormindo!

— É que ele adormeceu de repente, senhora— disse a criada. — Tentei impedi-lo, levá-lo antes para o quarto, mas não consegui. Suas mãos estavam frias.

— Frias?... — espantou-se a mãe. — Sim, é mesmo... Oh, meu Deus, meu Deus! Contanto que ele acorde!

Beautrelet enfiou a mão num dos bolsos da calça, segurou a coronha do revólver, colocou o dedo no gatilho, puxou bruscamente e atirou sobre Massiban.

Como se já estivesse prevendo o gesto do rapaz, Massiban esquivou-se da bala. Beautrelet lançou-se então sobre ele, gritando para os criados:

— Ajudem-me!... É Lupin!

Sob a violência do choque, Massiban caiu sobre uma poltrona de junco.

Ao cabo de sete ou oito segundos de luta, levantou-se, segurando o revólver de um Beautrelet aturdido e sufocado.

— Bem... perfeito... não se mexa... você tem dois ou três minutos... mais nada. Mas, francamente, você custou a me reconhecer! Será que eu consegui imitar tão bem assim Massiban?

Endireitou-se e, plantando-se bem ereto sobre as pernas firmes, o tronco sólido, a atitude ameaçadora, sorrindo ironicamente enquanto observava os três criados paralisados de susto e o barão estupefato, Lupin falou:

— Jogou mal, Isidore. Se você não tivesse lhes dito que eu era Lupin, eles pulariam em cima de mim. E com uma turma dessas, Deus me livre!... Nem sei o que teria me acontecido!... Um contra quatro!

Aproximou-se deles.

— Vamos, meus filhos, não tenham medo... não vou machucar vocês... olhem, querem uma balinha? Aceitem... é bom para a saúde. Você aí, devolva meus cem francos. É, você mesmo, estou lhe reconhecendo. Foi a você que eu paguei há pouco para entregar a carta a sua patroa. Vamos, depressa! Tomou a nota de cem e rasgou-a em pedacinhos, dizendo:

— O soldo da traição me queima os dedos. — Depois tirou o chapéu e inclinou-se profundamente diante de Sra. de Villemon.

— Queira perdoar-me, senhora. As circunstâncias da vida — sobretudo da minha — levam-nos, frequentemente, a cometer crueldades, das quais sou o primeiro a me envergonhar. Mas não precisa temer por seu filho. Foi apenas uma injeção, uma injeçãozinha de nada, aplicada em seu braço enquanto eu o interrogava. Dentro de uma hora, no máximo, o efeito passará. Mais uma vez peço-lhe que me desculpe, mas preciso de seu silêncio.

Cumprimentou novamente, agradecendo a Sr. de Vélines sua amável hospitalidade, pegou a bengala, acendeu um cigarro, ofereceu um ao barão, despediu-se com um gesto circular de chapéu e falou a Beautrelet, num tom ironicamente protetor:

— Adeus, nenê! — e saiu tranquilamente, lançando baforadas de fumaça no nariz dos criados.

Beautrelet aguardou alguns minutos. Sra. de Villemon, mais calma, velava seu filho. Aproximou-se dela para fazer um último apelo. Seus olhares se cruzaram. Ele não disse mais nada. Havia compreendido que, acontecesse o que acontecesse, ela jamais falaria. Ali também, naquele cérebro de mãe, o segredo da Agulha ficaria sepultado tão profundamente quanto nas trevas do passado. Renunciou, então, e partiu.

Eram dez e meia. Havia um trem às onze e cinquenta. Lentamente, o rapaz desceu a aleia do parque e afastou-se pelo caminho que levava à estação.

— E agora? O que é que você me diz desse golpe?

Era Massiban, ou melhor, Lupin que surgira do bosque que margeava a estrada.

— Foi bem organizado? Você acha que seu velho camarada sabe dançar na corda bamba? Tenho certeza de que você ainda está zonzo, não está? E que você está se perguntando se esse tal de Massiban, membro da Academia, existe mesmo de verdade. Pois bem, existe, sim. Posso até mostrar para você, se você se comportar. Mas antes vou devolver sua arma. Está carregada, sim. Restam cinco balas, uma das quais seria suficiente para me mandar para o inferno. Você a recolocou no bolso? Ótimo! Prefiro isso do que aquela bobagem que você fez há pouco. Que gesto feio! Mas não tem nada, a gente é moço, percebe de repente que foi de novo enrolado por esse danado do Lupin, e que ele está ali, diante da gente, a três passos de distância. Aí... pum! A gente atira. Não lhe quero mal, sabe? Como prova disso, convido-o a entrar no meu possante cem cavalos. Que tal?

Enfiou dois dedos na boca e assobiou.

O contraste era delicioso, entre a venerável aparência de Massiban e a jovialidade dos gestos e do tom adotados por Lupin. Beautrelet não conseguiu controlar o riso.

— Ele riu, ele riu! — gritou Lupin, pulando de contente. — Está vendo? É só isso que lhe falta, nenê, o sorriso... Você é sério demais para sua idade... Você é simpático, tem o grande encanto da ingenuidade e da simplicidade, mas na verdade falta-lhe o sorriso.

Plantou-se diante dele.

— Aposto que posso fazê-lo chorar. Sabe como eu segui suas investigações? Como tomei conhecimento da carta que Massiban lhe escreveu e do encontro que marcou para esta manhã no castelo de Vélines? Pela tagarelice de seu amigo, aquele com quem você está morando. Você confia demais nesse imbecil. Ele não achou nada de melhor para fazer do que contar tudo, correndo, para a namorada. E a namorada dele não tem segredos para Lupin. Que é que eu estava lhe dizendo? Viu, você já está todo esquisito... Seus olhos estão úmidos... A amizade traída, não é?... Isso o entristece?... Mas, deixe pra lá... Há coisas piores na vida... Para ser sincero, não sei mesmo quais... Mas mudemos de assunto... Lembra-se daquela noite em Gaillon, quando você me consultou?... Pois é, o velho notário era eu... Mas ria, menino, ria... Será que você não sabe sorrir? ... Olhe, falta a você... como diria... um pouco de espontaneidade. Eu tenho espontaneidade.

Ouviu-se o ronco de um motor se aproximando. Lupin segurou bruscamente o braço de Beautrelet e, num tom gelado, olhando-o bem dentro dos olhos, avisou:

— Você vai ficar quietinho, agora, hein? Sabe muito bem que não há nada a fazer. De que serviria gastar suas forças e perder seu tempo? Existem muitos bandidos no mundo. Vá atrás deles e me deixe em paz. Combinado?

E sacudiu-o para fazê-lo sair de seu marasmo. Depois deu um risinho.

— Eu sou mesmo um imbecil! Você, me deixar em paz? Você não é do tipo que desiste... Na verdade, não sei o que está me detendo... Em dois segundos eu poderia amarrá-lo, amordaçá-lo, e duas horas depois colocá-lo à sombra por alguns meses... Depois poderia ficar rodando os polegares no sossegado retiro que me prepararam meus ancestrais, os reis da França, e gozar dos tesouros que eles tiveram a gentileza de acumular para mim... Mas não, está escrito que eu continuarei a fazer burrices até o fim... Que hei de fazer?... Todo mundo tem suas fraquezas... De qualquer modo ainda há muito caminho pela frente... Até você conseguir meter a mão no oco da agulha muita água há de passar debaixo da ponte... Que diabo! Para mim, foram precisos dez dias... E olhe que eu me chamo Lupin... Você vai precisar, no mínimo, de dez anos. Afinal, existe uma certa distância entre nós dois.

O carro se aproximou. Um imenso carro fechado. Lupin abriu a porta. Beautrelet arregalou os olhos. Na limusine havia um homem, e esse homem era Lupin... Ou melhor, Massiban. Isidore estourou de rir, compreendendo tudo. Lupin explicou:

— Não se preocupe, ele está dormindo. Eu não lhe havia prometido que você o veria? Está entendendo as coisas, agora? Por volta da meia-noite eu soube do encontro no castelo. Às sete da manhã eu chegava lá. Quando Massiban passou, eu só tive o trabalho de recolhê-lo. Depois, uma injeçãozinha e pronto! Agora vamos colocá-lo no barranco... Bem ao sol, para ele não sentir frio... Vamos... Muito bem... Perfeito... Maravilhoso... Com o chapéu na mão... Uma esmolinha, pelo amor de Deus... Ah, meu velho Massiban, quem mandou você se meter com Lupin!

Era mesmo engraçado ver, um em frente ao outro, os dois Massiban. Um, dormindo e balançando a cabeça, o outro, sério e respeitoso, todo cheio de atenções.

— Tenham piedade do pobre cego... Olhe Massiban, tome aqui dois tostões... É o meu cartão de visita. E agora, crianças, vamos engrenar uma quarta a toda... Está me ouvindo, chofer? Vamos fazer cento e vinte por hora. Para o carro, Isidore. Hoje há seção no plenário do instituto, e Massiban tem que ler, às três e meia, um trabalhinho sobre não sei bem o quê. Pois bem, eu vou ler para eles o trabalhinho. Vou levar para eles um Massiban completo. Mais real que o próprio, com algumas ideias minhas, de quebra, a respeito das inscrições lacustres. Afinal, é a primeira vez que farei parte da Academia... Mais depressa, chofer! Estamos só a cento e quinze! Está com medo? Você se esquece de que está com Lupin? Ah, Isidore... e tem gente que diz que a vida é monótona! Mas a vida é uma coisa adorável, garoto. Só que é preciso saber... e eu sei... Se você acha que eu não estava quase arrebentando de alegria, há pouco, no castelo, enquanto você conversava com o velho Vélines... Sabe o que eu fazia junto à janela? Rasgava as folhas do livrinho histórico. E depois, enquanto você interrogava Sra. de Villemon sobre a Agulha Oca... Será que ela falaria? Sim, ia falar... Não, não falaria... Sim... Não... Eu estava arrepiado... Se ela falasse, eu teria que refazer minha vida, toda uma estrutura destruída... O criado chegaria a tempo? ... Sim... Não... Lá vem ele... Beautrelet vai me desmascarar? Nunca! É bobo demais! Sim... Não... Pronto, aconteceu... Não... Sim... Ele está me espiando... Pronto, vai pegar o revólver... Ah, que volúpia!... Isidore, você fala demais... Vamos dormir? Estou morrendo de sono... Boa noite...

Beautrelet olhou-o. Parecia estar quase dormindo. Dormia.

O carro lançava-se pelo espaço, precipitando-se em direção a um horizonte sempre atingido e sempre em fuga. Não havia mais vilas, aldeias, nem campos, nem florestas. Nada a não ser o espaço, espaço devorado, engolido. Beautrelet olhava seu companheiro de viagem com ardente curiosidade e também com desejo de penetrar, através da máscara que o cobria, sua verdadeira fisionomia. E meditava sobre as circunstâncias que os encerravam assim, lado a lado, naquele automóvel.

Mas depois de todas as emoções e decepções da manhã, cansado, acabou também adormecendo.

Quando acordou, Lupin lia. Beautrelet inclinou-se para ver o título do livro. Eram as Cartas a Lucilius, de Sêneca, o filósofo.

Capítulo 8
DE CÉSAR A LUPIN

—Eu que sou Lupin precisei de dez dias! Você vai precisar de no mínimo dez anos. Que diabo!

Esta frase, pronunciada por Lupin ao sair do castelo de Vélines, teve uma influência considerável sobre o comportamento de Beautrelet. Muito calmo, no íntimo, e sempre senhor de si, Lupin tinha, contudo, momentos de exaltação, expansões um tanto românticas, simultaneamente teatrais e ingênuas, quando deixava escapar certas confidências, certas palavras das quais alguém como Beautrelet podia tirar proveito.

Beautrelet pensou ver naquela frase uma dessas confidências involuntárias. Concluiu que, se Lupin colocava um paralelo entre os esforços de ambos na procura da verdade sobre a Agulha Oca, era porque os dois possuíam iguais possibilidades de chegar ao objetivo. Era porque ele, Lupin, não tivera elementos de sucesso diversos dos que possuía seu adversário. As possibilidades eram as mesmas. Ora, com as mesmas possibilidades e os mesmos elementos de sucesso, dez dias foram suficientes para Lupin. Quais eram esses elementos, esses meios, essas possibilidades? Reduziam-se apenas ao conhecimento da brochura publicada em 1815, brochura essa que Lupin, como Massiban, havia encontrado por acaso, e graças à qual tinha conseguido tirar de dentro do missal de Maria Antonieta o indispensável documento. Logo, as únicas bases sobre as quais Lupin se havia apoiado eram a brochura e o documento. Com isso ele havia reconstruído todo o resto. Nada de ajuda externa. O estudo da brochura e do documento e ponto final.

Assim, por que Beautrelet não poderia manter-se dentro desses mesmos limites? Para que tentar uma luta impossível? Para que essas vãs investigações, onde tinha certeza de que, por mais que evitasse os obstáculos que se multiplicavam contra ele, chegaria, no final de tudo, apenas a um resultado lamentável?

Sua decisão foi clara e imediata. E, conformando-se com ela, teve o palpite de estar no caminho certo. Para começar, saiu sem recriminações da casa do seu colega do liceu. Depois de várias voltas e reviravoltas, foi instalar-se num hotelzinho situado bem no centro de Paris. Desse hotel não saiu um instante, durante dias seguidos. No máximo descia à sala de refeições. O resto do tempo, trancado a sete chaves, as cortinas do quarto hermeticamente fechadas, ele meditava.

Dez dias, havia dito Arsène Lupin. Beautrelet, esforçando-se para esquecer tudo o que havia feito e lembrar-se apenas dos elementos da brochura e do documento, ambicionava ardentemente conseguir se manter no limite desses dez dias. No entanto passou o décimo, o décimo primeiro e o décimo segundo. No décimo terceiro dia, uma luz se fez em seu cérebro, e logo, com a estranha rapidez com que certas ideias se desenvolvem em nós, a verdade surgiu, expandiu-se e fortificou-se. Ao cair a noite desse décimo terceiro dia, Beautrelet ainda não conhecia a solução do problema, mas sabia com certeza um dos métodos que poderiam provocar sua descoberta, o método fecundo que, sem dúvida, Lupin havia utilizado.

Método esse bastante simples e que decorria de uma única pergunta: existiria um vínculo entre todos os acontecimentos históricos, mais ou menos importantes, com os quais a brochura estabelece uma ligação a respeito do mistério da Agulha Oca?

A diversidade de acontecimentos tornava a resposta difícil. No entanto, do exame aprofundado a que se entregou, Beautrelet acabou por destacar uma característica comum a todos os acontecimentos. Todos, sem exceção, ocorreram dentro dos limites da antiga Neustrie, limites que correspondem, mais ou menos, aos da atual Normandia. Todas as personagens da fantástica aventura, ou eram normandos ou passaram a sê-lo, ou agiram em território normando.

Apaixonante cavalgada através dos tempos! Que emocionante espetáculo, com todos aqueles barões, duques e reis partindo de pontos tão opostos para se encontrarem naquele canto de mundo!

Beautrelet folheou a história, ao acaso. Surge Roll, ou Rollon, primeiro duque normando, o senhor do segredo da Agulha, após o Tratado de Saint-Clair-sur-Epte.

Surge Guilherme, o Conquistador, duque da Normandia, rei da Inglaterra, cuja haste do estandarte é furada à maneira de uma agulha.

Em Rouen, os ingleses queimaram Joana D´Arc, também dona do segredo.

E na origem da aventura, quem seria aquele chefe dos calcetas que pagara seu resgate a César com o segredo da Agulha, senão o chefe dos habitantes de Caux, região essa situada em pleno coração da Normandia?

A hipótese se afirma. O campo se delimita. Rouen, às margens do Sena, a região de Caux... parecia realmente que todos os caminhos convergiam para esse lado. Se dois reis da França são citados mais insistentemente, a partir do momento em que o segredo, perdido para os duques da Normandia e seus herdeiros, os reis da Inglaterra, tornou-se o segredo da realeza da França, esses reis são Henrique IV e Francisco I. Henrique IV, que sitiou Rouen e ganhou a Batalha de Arques às portas de Dieppe. E Francisco I, que fundou o Havre e pronunciou a frase reveladora: Os reis da França possuem segredos que, frequentemente, regem o destino das cidades!

Rouen, Dieppe, Le Havre... os três vértices do triângulo, as três grandes cidades que ocupam esses três vértices. Ao centro, a região de Caux.

Começa o século XVII. Luís XIV queima o livro onde o desconhecido revela a verdade. O Capitão de Larbeyrie apropria-se de um exemplar, aproveita-se do segredo que violou, rouba algumas joias e, surpreendido por ladrões de estrada, morre assassinado. Ora, em que lugar acontece esse crime? Gaillon! Gaillon, cidadezinha situada à beira da estrada que vai do Havre, de Rouen, ou de Dieppe, a Paris.

Um ano depois, Luís XIV compra uma propriedade e constrói o Castelo da Agulha. Qual a localização? O centro da França. Assim, os curiosos são despistados. A atenção é desviada da Normandia.

Rouen... Dieppe... Le Havre... O triângulo de Caux... Está tudo ali... De um lado o mar, do outro o Sena, de um outro os dois vales que levam a Rouen e a Dieppe.

Um clarão iluminou o espírito de Beautrelet. Esse lugar, essa região de elevados planaltos cujas falésias beiram o Sena ou a Mancha, era sempre, ou quase sempre, o campo de operações onde evoluía Lupin.

Havia dez anos que ele agia precisamente nessa região, como se tivesse seu esconderijo no próprio centro da região, à qual se ligava mais estreitamente a lenda da Agulha Oca.

O caso do Barão de Cahorn[1]? As margens do Sena, entre Rouen e Le Havre. O caso de Tibermesnil[2]? Na outra extremidade do planalto, entre Rouen e Dieppe. Os assaltos de Gruchet, de Montigny, de Crasville? Em plena região de Caux. Onde ia Lupin, quando foi atacado e manietado em seu compartimento por Pierre Onfrey, o assassino da Rue La Fontaine[3]? Ia a Rouen. Onde foi embarcado Herlock Sholmes, aprisionado por Lupin[4]? Perto do Havre.

E qual era o cenário de todo o drama atual? Ambrumésy, no percurso do Havre a Dieppe.

Rouen, Dieppe, Le Havre... Como sempre o triângulo de Caux.

---

1 Arsène Lupin, o Ladrão de Casaca (Arsène Lupin na Prisão).
2 Arsène Lupin, o Ladrão de Casaca (Herlock Sholmes chega tarde)
3 Arsène Lupin, o Ladrão de Casaca (O viajante misterioso).
4 Arsène Lupin contra Herlock Sholmes (A loira).

Portanto, há alguns anos, possuidor do livro e conhecedor do esconderijo onde Maria Antonieta havia dissimulado o documento, Arsène Lupin acabara por obter o famoso livro de orações. De posse do documento, lançava-se em campo, encontrava e estabelecia-se no local conquistado.

Beautrelet partiu para a luta.

Partiu emocionado, pensando que Lupin havia feito essa mesma viagem, palpitara certamente pelas mesmas esperanças, quando fora em busca do formidável segredo que devia investi-lo de um tal poder. Seriam seus esforços recompensados?

Deixou Rouen cedinho, a pé, com o rosto bem disfarçado e um saco pendurado na ponta de um bastão que levava ao ombro, como fazem alguns estudantes nas estradas da França.

Foi direto a Duclair, onde almoçou. Ao sair do burgo, seguiu o Sena, não se afastando praticamente mais dele. Seu instinto, reforçado aliás por várias conjeturas, trazia-o sempre de volta às margens do belo rio. O Castelo de Cahorn, ao ser assaltado, não foi pelo Sena que haviam passado suas coleções? A Chapelle-Dieu roubada, suas velhas pedras esculpidas não haviam sido comboiadas para o Sena? Imaginava uma frota de barcaças fazendo um serviço regular, drenando obras de arte e riquezas de uma região, para expedi-las de lá para um país de milionários.

— Estou esquentando!... Estou esquentando!... — murmurava o rapaz, vibrando sob os golpes da verdade que o atingia por meio de grandes e sucessivos choques.

Os primeiros dias de insucesso não o desencorajaram. Tinha uma fé profunda e inabalável na justeza da hipótese que o dirigia. Não importava que fosse arrojada, exagerada. Era digna do inimigo que ele perseguia. A hipótese valia a prodigiosa realidade que se chamava Lupin. Em relação àquele homem, como procurar fora do enorme, do exagerado, do sobre-humano? Jumicges, La Mailleraie, Saint-Wandrille, Caudebec, Tancarville, Quilleboeuf eram localidades muito vivas em sua lembrança! Quantas vezes ele não contemplara a glória daqueles campanários góticos ou o esplendor daquelas vastas ruínas!

Mas era o Havre, os arredores do Havre, principalmente, que atraíam a atenção de Isidore como as luzes de um farol.

Os reis da França possuem segredos que, frequentemente, regem o destino das cidades.

Palavras enigmáticas que, de repente, tornaram-se totalmente claras para Beautrelet. Não era essa a declaração exata dos motivos que haviam levado Francisco I a construir uma cidade naquele lugar? E o destino do Havre-de-Grâce não estava diretamente ligado ao próprio segredo da Agulha?

— É isso... É isso!... — balbuciava Beautrelet com fervor. — O velho estuário normando, um dos pontos essenciais, um dos núcleos primitivos em volta dos quais se formou a nacionalidade francesa! O velho estuário se completa através dessas duas forças: uma, em plena luz do dia, viva, conhecida, porto novo que domina o oceano e se abre para o mundo. A outra, tenebrosa, ignorada, e tanto mais inquietadora quanto invisível e impalpável. Toda uma faceta da história da França e da casa real se explica através da Agulha, assim como toda a história de Lupin. Os mesmos recursos de energia e de poder alimentam e renovam a fortuna dos reis e do aventureiro.

De aldeia em aldeia, do rio até o mar, Beautrelet bisbilhotou de nariz ao vento, de orelha em pé, tratando de arrancar às próprias coisas seu significado mais profundo. Seria preciso interrogar essa colina? Essa floresta? As casas dessa aldeia? Seria entre as palavras insignificantes desse camponês que ele recolheria a palavrinha reveladora?

Certa manhã ele almoçava numa estalagem vizinha a Honfleur, antiga cidade do estuário. Diante dele comia um desses normandos sanguíneos e pesadões, que percorrem as feiras vendendo cavalos, com um chicote na mão e um longo blusão nos ombros. Instantes depois, Beautrelet teve a impressão de que o homem o olhava com uma certa atenção, como se o conhecesse, ou pelo menos como se procurasse reconhecê-lo.

— Ora, devo estar enganado. Nunca vi esse homem, nem ele a mim! — pensou.

Com efeito, o homem pareceu não ligar mais para ele. Acendeu seu cachimbo, pediu café e conhaque, fumou e bebeu. Terminada a refeição, Beautrelet pagou e levantou-se.

Um grupo de indivíduos entrava no momento em que ele se preparava para sair, o que o fez permanecer de pé, alguns segundos, junto à mesa onde estava sentado o vendedor de cavalos.

— Bom dia, Sr. Beautrelet — disse o homem, em voz baixa.

Sem hesitar, Isidore sentou-se ao lado dele.

— Quem é o senhor?... Como me reconheceu?

— Não foi difícil... Apesar de que só o conheço através de retratos nos jornais. Mas... o senhor está tão mal... Como se diz em francês?... Tão mal disfarçado.

O homem tinha uma pronúncia estrangeira bastante acentuada, e Beautrelet teve a impressão, ao examiná-lo, de que também usava um disfarce que lhe alterava a fisionomia.

— Quem é o senhor?... — repetia. — Quem é o senhor?

O estrangeiro sorriu.

— Então não me reconhece?

— Não... Não me lembro de tê-lo visto.

— Nem eu tampouco. Mas, tente lembrar-se. Meu retrato tem sido publicado nos jornais, constantemente. Então, já está lembrado?

— Não.

— Herlock Sholmes.

O encontro era original... e também significativo. Imediatamente o rapaz compreendeu o seu alcance. Após uma troca de cumprimentos, perguntou a Sholmes:

— Suponho que o senhor está aqui por causa... dele?

— Sim.

— Então... então o senhor acha que teremos possibilidades... por estes lados?

— Estou certo disso.

A alegria que Beautrelet sentiu ao constatar que a opinião de Sholmes coincidia com a sua não foi sem laivos de contrariedade. Se o inglês atingisse a meta, isso significaria uma vitória partilhada. E quem sabe até se Sholmes não a atingiria antes?

— O senhor tem provas?... Indícios?

— Não se assuste — disse o inglês, ironicamente. — Compreendo sua inquietação. Não estou seguindo seus passos. Suas pistas são o documento, a brochura... coisas que não me inspiram grande confiança.

— E as suas?

— Meu caminho é outro.

— Seria indiscrição perguntar?

— Absolutamente. Lembra-se do caso do diadema?... A história do Duque de Charmerace[5]?

— Lembro.

— Você não se esqueceu de Victoire, a velha ama de Lupin, aquela que meu bom amigo Ganimard deixou escapar num falso carro da penitenciária, não é?

— Não... não esqueci.

— Reencontrei a pista de Victoire. Ela mora numa fazenda perto da Estrada Nacional número 25. Essa estrada é a que vai do Havre a Lille. Através de Victoire, irei facilmente até Lupin.

— Vai demorar.

— Que me importa! Deixei de lado todos os meus casos. Este é o único que importa. Entre Lupin e mim existe uma luta... uma luta de vida ou morte.

Pronunciou essas palavras com uma espécie de selvageria, onde transparecia todo o rancor das humilhações sofridas, um ódio feroz contra o inimigo que o havia enganado tão cruelmente.

— Vá embora — murmurou, em seguida. — Estão nos olhando... É perigoso... Mas lembre-se de minhas palavras: o dia em que Lupin e eu nos encontrarmos, cara a cara, será... será trágico.

---

5 Arsène Lupin, peça em quatro atos.

Quando Beautrelet deixou Sholmes, sentia-se tranquilo: não havia perigo de que o inglês o ultrapassasse.

E que outra prova ainda lhe traria o acaso dessa entrevista! A estrada do Havre a Lille passava por Dieppe. Era a grande estrada costeira da região de Caux! A rota marítima que domina as falésias da Mancha! E numa fazenda próxima dessa estrada estava instalada Victoire... Victoire, isto é, Lupin, já que um nunca se afastava do outro... O patrão da criada, que lhe era sempre cegamente dedicada.

Estou esquentando... estou esquentando..., repetia o rapaz. Sempre que as circunstâncias me trazem um novo elemento de informação, este só faz confirmar minhas suposições. Por um lado, a certeza absoluta a respeito das margens do Sena. Por outro, a certeza sobre a Estrada Nacional. As duas vias de comunicação se encontram no Havre, a cidade de Francisco I, a cidade do segredo. Os limites se restringem. A região de Caux não é grande, e devo investigar apenas sua parte oeste. O que Lupin encontrou, não há razão nenhuma para que eu não encontre.

Decerto, Lupin deveria ter sobre ele grandes vantagens. Possivelmente o conhecimento profundo da região, alguns dados precisos sobre as lendas locais, talvez ainda alguma lembrança, vantagens preciosas, já que ele, Beautrelet, nada sabia daquela região. Percorrera-a pela primeira vez na ocasião do assalto de Ambrumésy, e assim mesmo rapidamente.

Mas não importava.

Devesse ele consagrar dez anos de sua vida àquela busca, ele a levaria até o fim. Lupin estava lá. Ele o via. Ele o adivinhava. Ele o esperava em alguma curva da estrada, na orla do bosque, na saída da aldeia. E cada vez que Beautrelet se decepcionava, parecia encontrar uma razão mais forte para se obstinar mais ainda.

Frequentemente deixava-se cair na margem da estrada e enterrava-se desesperadamente no exame do documento de que sempre trazia uma cópia, isto é, com os números substituídos por vogais.

```
e . a . a . . e . . e . a . . a . .
a . . . e . e .        . e . oi . e . . e .
. ou . . e . o . . . e . . e . o . . e .
```

$$D \; \overline{DF} \; \square \; 19 \; F + 44 \; \triangle \; 357 \; \triangle$$

```
ai . ui . . e          . . eu . e
```

Com frequência, também, segundo seu hábito, deitava-se de bruços, no meio do capinzal, e meditava durante horas. Tinha tempo. O futuro lhe pertencia.

Com admirável paciência ia do Sena até o mar, do mar até o Sena, afastando-se gradualmente, voltando sobre seus passos, e só abandonando o terreno quando não houvesse mais, teoricamente, a menor possibilidade de conseguir alguma informação.

Estudou, esmiuçou Montvilliers, Saint-Roman, Octeville, Gonneville e Criquetot.

À noite, batia à porta dos camponeses e lhes pedia abrigo. Após o jantar, fumava-se e conversava-se. Ele os fazia repetir as histórias que costumavam contar durante as longas vigílias de inverno. E sempre insinuava a pergunta:

— E a Agulha?... A lenda da Agulha Oca... Não a conhecem?

— Palavra que não... essa não conheço...

— Pense bem... um conto muito antigo... alguma coisa sobre uma agulha... — uma agulha encantada, talvez, sei lá...

Nada. Nenhuma lenda, nenhuma lembrança. E no dia seguinte ele partia alegremente.

Certo dia passou pela bonita aldeia de Saint-Jouin, que domina o mar do alto de uma falésia, e desceu por entre as pedras que dali tinham rolado. Depois subiu ao planalto e afastou-se em direção ao vale de Bruneval, continuando pelo cabo Antifer, pela enseadazinha de Belle-Plage. Andava, alegre e levemente, um pouco cansado, mas feliz da vida. Tão feliz mesmo, que se esquecia de Lupin, do mistério da Agulha Oca, de Victoire e de Sholmes. Só se interessava pelo espetáculo das coisas, o céu azul, o grande mar de esmeraldas, rutilante sob o sol.

Escarpas retilíneas e restos de muros de tijolos, onde ele acreditou reconhecer vestígios de um campo romano, o intrigaram. Em seguida avistou uma espécie de castelinho, construído à maneira de um antigo forte, com torreolas gretadas, altas janelas góticas, situado sobre um promontório desmantelado, pedregoso e quase destacado da falésia. Uma grade auxiliada por balaústres e parapeitos de ferro dificultava-lhe o estreito acesso.

Não sem dificuldade, Beautrelet conseguiu passar. Acima da porta ogival, trancada por uma velha fechadura enferrujada, ele leu: "Forte de Fréfossé."[6]

---

6 O Forte de Fréfossé tinha o nome de uma propriedade vizinha, da qual ele dependia. Sua destruição, ocorrida alguns anos depois, foi ordenada por autoridades militares, em razão das revelações contidas neste livro. *(N. do A.)*

Não tentou entrar. Virando à direita, após ter descido uma ligeira ladeira, subiu por um atalho que corria por uma trilha de terra onde havia uma rampa de madeira. Na extremidade, uma gruta de mínimas proporções formava uma guarita na ponta da rocha em que era cavada, uma rocha que se inclinava abruptamente sobre o mar.

Uma pessoa podia manter-se de pé no centro dessa gruta. Grande quantidade de inscrições se entrecruzavam em suas paredes. Um buraco quase quadrado, aberto na própria rocha, servia de lucarna para o lado da terra, exatamente em frente ao Forte de Fréfossé, cuja coroa dentada avistava-se a uma distância de trinta ou quarenta metros. Beautrelet largou a sacola e sentou-se. O dia havia sido longo e cansativo. Adormeceu num instante.

O vento fresco que circulava na gruta o despertou. Durante alguns minutos ficou imóvel e distraído, com o olhar vago. Procurava refletir, concatenar de novo as ideias ainda entorpecidas. E, já mais desperto, ia se levantando quando seus olhos se arregalaram, sem acreditar no que via. Um arrepio o sacudiu, suas mãos se crisparam, sentiu gotas de suor formarem-se nas raízes de seus cabelos.

— Não... não... — balbuciava. — Isso é um sonho, uma alucinação... Será possível?

Ajoelhou-se bruscamente e inclinou-se. Duas letras enormes, de um pé de altura cada uma, apareciam, gravadas em relevo, no granito do solo.

As duas letras, grosseira mas nitidamente esculpidas, nas quais a usura dos séculos havia arredondado os ângulos e patinado a superfície, essas duas letras eram um D e um F.

— Um D e um F!... Precisamente um D e um F, as duas letras do documento!... As duas únicas letras do documento!

Beautrelet nem precisava olhá-lo para evocar o grupo de letras, na quarta linha das medidas e das indicações.

Ele as conhecia muito bem. Estavam gravadas para sempre no fundo de suas pupilas, incrustadas para sempre na própria substância de seu cérebro.

Levantou-se e desceu o caminho escarpado, subiu de novo ao longo do antigo forte, mais uma vez agarrou-se, para passar, nos picos de ferro do parapeito, e dirigiu-se rapidamente a um pastor, cujo rebanho se nutria ao longo de uma ondulação do planalto.

— Aquela gruta, ali... aquela gruta...

Sua boca tremia. Procurava palavras que não conseguia encontrar. O pastor olhava-o espantado. Finalmente, conseguiu se expressar:

— Aquela gruta, ali, à direita do forte... Ela tem um nome?

— Ora, todo mundo aqui de Etretat diz que ela se chama Donzelas.

— O quê?... Como é?... O que é que está dizendo?

— Bem... é isso mesmo... o Quarto das Donzelas...

Isidore teve vontade de agarrar o pastor pelo pescoço, como se toda a verdade estivesse depositada naquele homem e ele pudesse dela se apropriar, de um minuto para o outro, arrancando-a...

As Donzelas! Uma das palavras, uma das únicas palavras do documento!

Um vento de loucura sacudiu Beautrelet. Avolumou-se em sua volta, soprando como borrasca impetuosa, vinda do mar, vinda da serra, vinda de todos os cantos, açoitando-o a grandes golpes de verdade. Ele compreendia, agora. O documento lhe aparecia com o seu sentido verdadeiro. O Quarto das Donzelas!... Etretat!...

— É isso!... Só pode ser isso!... Mas como é que eu não pensei nisso antes?... Dirigiu-se, em voz baixa, ao pastor:

— Só, amigo... Pode ir... obrigado...

O homem, espantado, assobiou para seu cachorro e afastou-se. Beautrelet voltou então para o forte. Quando já o havia quase ultrapassado, atirou-se subitamente ao chão e, agachando-se de encontro ao muro, murmurou, torcendo as mãos:

— Eu estou louco!... E se ele me vir?... Se os seus cúmplices me avistarem?... Há uma hora que estou andando de lá para cá...

Não se mexeu mais. O sol tinha se posto. A noite, pouco a pouco, misturou-se ao dia, esfumando a silhueta das coisas.

Então, por meio de pequenos movimentos disfarçados, arrastando-se, insinuando-se, agachando-se, Beautrelet aos poucos avançou de uma ponta do promontório até a extremidade do rochedo. Ao atingi-la, estendeu as mãos, afastou um tufo de vegetação e sua cabeça emergiu sobre o abismo.

Frente a ele, quase ao nível da falésia, no meio do mar, erguia-se um imenso rochedo, de mais de oitenta metros de altura, obelisco colossal, a prumo sobre sua ampla base de granito que aparecia ao nível da água, afilando-se depois até o cume, qual um dente gigantesco de algum monstro marinho. Branco como a falésia, de um branco acinzentado e sujo, o apavorante monolito era estriado horizontalmente por linhas de sílex, nas quais se evidenciava o lento trabalho dos séculos, acumulando umas sobre as outras as camadas de calcário e de seixos.

Aqui e ali, uma fresta, uma cavidade e, logo além, um pouco de terra, um pouco de mato, alguma folhagem.

E tudo isso possante, sólido, formidável, com um quê de indestrutível, contra o qual o ataque furioso das ondas e das tempestades nada podia. Tudo isso definitivo, imanente, grandioso, apesar da grandeza da muralha de falésias que o dominava, imenso, apesar da imensidão do espaço onde se elevava.

As unhas de Beautrelet enterravam-se no solo como garras de uma fera prestes a saltar sobre a presa. Seus olhos penetravam a crosta rugosa da rocha, a pele, a carne. Ele a tocava, apalpava, ele a conhecia e possuía, ele a assimilava.

O horizonte se incendiou de todos os raios do sol desaparecido, e longas nuvens em brasa, imóveis no céu, formavam magníficas paisagens, lagoas irreais, planícies em chamas, florestas douradas, lagos de sangue, cenário fantasmagórico, ardente e tranquilo.

O azul do céu se ensombreceu. Vênus irradiava um maravilhoso fulgor. Logo, algumas estrelas, ainda tímidas, se acenderam.

Beautrelet fechou os olhos e apertou convulsivamente contra a testa seus braços cruzados. Ali!... Ah!... Ele pensava morrer de alegria, tal a força da emoção que lhe apertava o coração. Ali, quase no cimo da Agulha de Etretat, logo abaixo da aguda extremidade, em volta da qual evoluíam as gaivotas, um pouco de fumaça escapava de uma fresta, como de uma invisível chaminé... um pouco de fumaça subia em lentas espirais no ar calmo do crepúsculo.

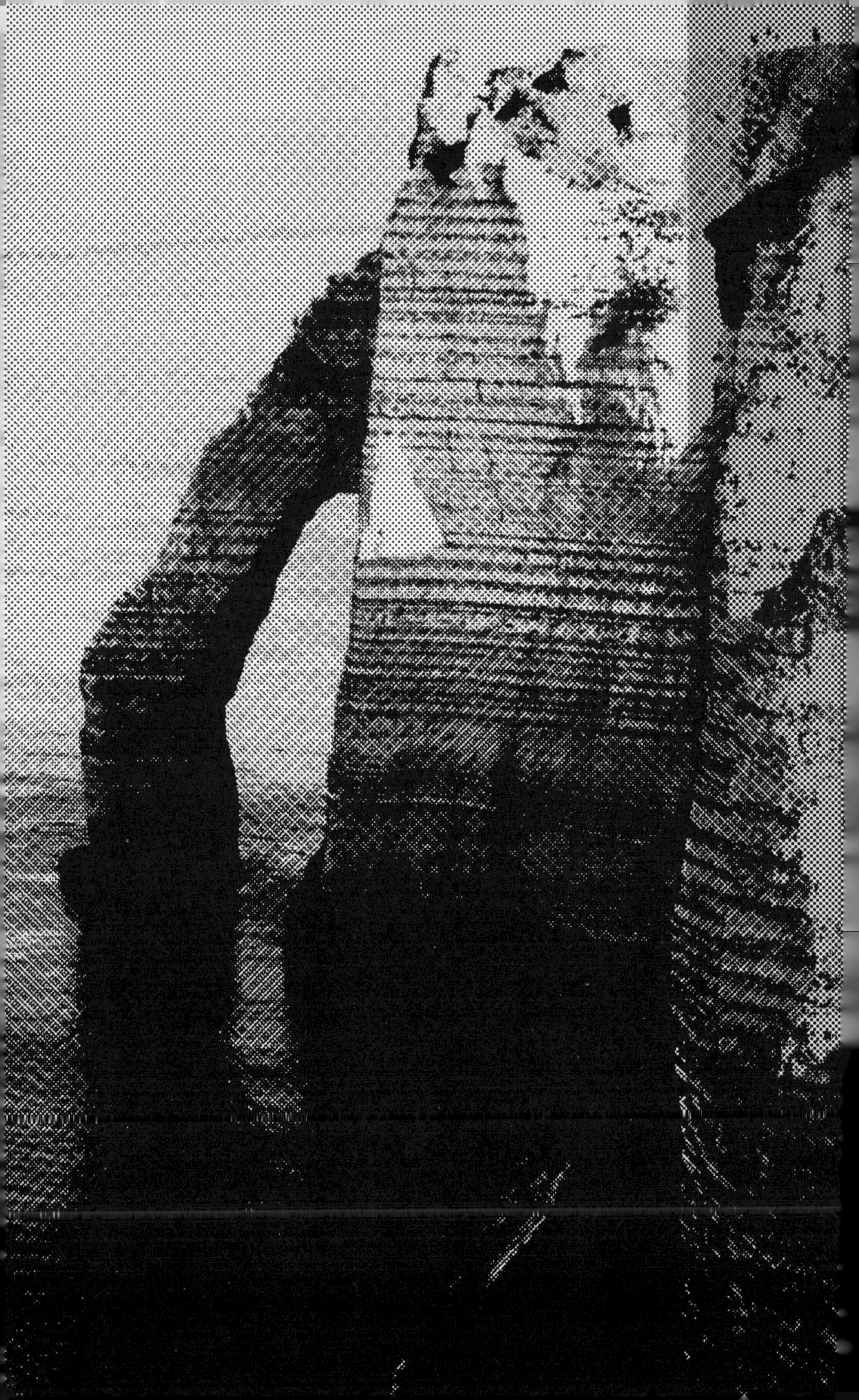

Capítulo 9
ABRE-TE, SÉSAMO!

A Agulha de Etretat era oca! Fenômeno natural? Escavação produzida por cataclismos internos, pelo esforço imperceptível da efervescência do mar, ou pela infiltração da chuva? Ou, ainda, obra sobre-humana, executada por seres humanos. Celtas, gauleses, homens pré-históricos? Questões provavelmente insolúveis. Não tinha importância. O essencial se reunia no seguinte: a Agulha era oca.

A quarenta ou cinquenta metros do imponente arco, chamado Porta de Aval, que se lança do alto da falésia como se fosse um colossal galho de árvore para enraizar-se nos rochedos submarinos, eleva-se um imenso cone calcário, que nada mais é senão uma crosta, um barrete pontudo pousado sobre o vazio.

Revelação prodigiosa! Após Lupin, eis que Beautrelet descobria a palavra-chave do grande mistério que pairava sobre mais de vinte séculos. Palavra-chave de suprema importância para quem a possuiu outrora, em épocas longínquas, quando hordas de bárbaros cavalgavam o velho mundo. Palavra mágica que abriu o antro ciclópico a tribos em fuga diante do inimigo. Palavra misteriosa que guardou a porta do mais inviolável dos asilos. Palavra prestigiosa que deu poder e assegurou a preponderância.

Por haver conhecido essa palavra, César pôde submeter a Gália. Por havê-la conhecido, os normandos impuseram-se na região e dali, posteriormente, arrimados àquele ponto de apoio, conquistaram a ilha vizinha, conquistaram a Sicília, conquistaram o Oriente, conquistaram o Novo Mundo.

Senhores do segredo, os reis da Inglaterra dominaram a França, humilharam-na, destroçaram-na e se fizeram coroar em Paris. Perdendo o segredo, veio a derrota.

Senhores do segredo, os reis da França cresceram, ultrapassaram os estreitos limites de seus domínios, fundaram pouco a pouco a grande nação e reluziram de glória e poderio. Esqueceram o segredo, ou não souberam utilizá-lo, sobrevieram a morte, o exílio, a decadência.

Um reino invisível no seio das águas, e a poucos metros da terra! Uma fortaleza ignorada, mais alta que as torres de Notre Dame e construída sobre uma base de granito maior que uma praça pública. Que força e que segurança! De Paris ao mar, pelo Sena. Ali, o Havre, cidade nova, cidade necessária. E, a sete léguas dali, a Agulha Oca. Era ou não era um asilo inexpugnável?

Era um asilo e também um esconderijo formidável. Todos os tesouros dos reis, aumentados de século em século, todo o ouro da França, tudo o que se extrai do povo, tudo o que se arranca do clero, todos os despojos recolhidos nos campos de batalha europeus, tudo isso fora amontoado na caverna real. Velhos soldos de ouro, escudos reluzentes, dobrões, ducados, florins, guinéus, pedrarias e diamantes, todas as joias e todos os adereços, tudo estava lá. Quem o descobriria? Quem conheceria o impenetrável segredo da Agulha?

Sim, Arsène Lupin.

E Lupin tornara-se então aquele ser realmente desproporcional que se conhecia, aquele milagre impossível de se explicar, enquanto a verdade não fosse desvendada. Por mais infinitos que fossem os recursos de seu gênio, eles não podiam ser suficientes para a luta que ele mantinha contra a sociedade. Eram necessários outros recursos, mais concretos. Era necessário o esconderijo seguro, a certeza da impunidade, a paz que permite a execução dos planos.

Sem a Agulha Oca, Lupin seria um ser incompreensível, seria um mito, uma personagem de romance, desligado da realidade. Senhor do segredo, era um homem como outro qualquer, mas que, no entanto, sabia manejar com superior habilidade a extraordinária arma que o destino lhe dera.

Portanto, a Agulha era oca. Esse fato era indiscutível. Restava saber como se chegava a ela.

Pelo mar, evidentemente. Devia haver, dando para o largo, alguma cavidade abordável por barcos a certos momentos da maré. Mas… e do lado da terra?

Até a noite, Beautrelet continuou inclinado sobre o abismo, os olhos fixos naquela massa de sombra formada pela pirâmide, sonhando, meditando, com toda a força de sua inteligência.

Depois, desceu para Etretat, escolheu o hotel mais modesto, jantou, subiu para seu quarto e desdobrou o documento.

Para ele, agora, era uma brincadeira descobrir o significado. Logo se apercebeu de que as três vogais da palavra Etretat encontravam-se na primeira linha, na devida ordem e a intervalos certos. A primeira linha ficou então assim:

e . a . a . . etretat . a . .

Que palavras poderiam preceder Etretat? Palavras, sem dúvida, que se aplicassem à posição da Agulha em relação à aldeia. Ora, a Agulha erguia-se à esquerda, a oeste... Ele pensou e, lembrando-se de que na costa os ventos de oeste chamavam-se ventos de aval e que a porta era justamente denominada Porta de Aval, escreveu:

En aval d'Etretat . a ..
(A oeste de Etretat).

A segunda linha era a da palavra Demoiselles. Constatando imediatamente, antes dessa palavra, a série de todas as vogais que compunham as palavras la chambre des (o quarto das), anotou as duas frases:

En aval d'Etretat — La Chambre des Demoiselles (O Quarto das Donzelas).

Teve mais dificuldades com a terceira linha. Só após muito tatear foi que, lembrando-se da localização, não longe do Quarto das Donzelas, do castelo construído no local do Forte de Fréfossé, acabou por reconstituir assim o documento:

En aval d'Etretat — La Chambre des Demoiselles — Sous le Fort de Fréfossé (Sob o Forte de Fréfossé) Aiguille Creuse (Agulha Oca).

Eram essas as quatro grandes fórmulas, as fórmulas essenciais e gerais. Segundo elas, a pessoa dirigia-se a oeste de Etretat, entrava no Quarto das Donzelas, passava, conforme todas as probabilidades, sob o Forte de Fréfossé e chegava à Agulha. Como? Pelas indicações e medidas que formavam a quarta linha:

$$D \ \overline{DF} \ \square \ 19 \ F + 44 \triangle \ 357 \triangle$$

Beautrelet supôs imediatamente — e sua hipótese era a consequência lógica do documento — que, se havia realmente uma comunicação direta entre a terra e o obelisco da Agulha, o subterrâneo devia partir do Quarto das Donzelas, passar sob o Forte de Fréfossé, descer a pique os cem metros da falésia e, por um túnel construído sob as rochas marítimas, chegar até a Agulha Oca.

A entrada do subterrâneo? Não seriam as duas letras D e F, tão nitidamente gravadas, destinadas a apontá-la, a abri-la, talvez, graças a algum mecanismo engenhoso?

Durante toda a manhã do dia seguinte, Isidore vadiou por Etretat, tagarelou por todo canto, procurando recolher qualquer informação útil. Finalmente, de tarde, subiu até a falésia. Disfarçado de marinheiro, havia rejuvenescido mais ainda, parecendo um garoto de doze anos com suas calças curtas demais e sua camisa de malha de pescador.

Logo que entrou na gruta, ajoelhou-se diante das letras. Uma decepção o esperava. Em vão golpeou-as, empurrou-as, manipulou-as em todos os sentidos. Elas não se moveram. E ele se deu conta, bastante depressa, de que elas não podiam, realmente, mover-se. Em consequência, não comandavam nenhum mecanismo. No entanto... no entanto tinham algum significado!

Das informações que havia conseguido recolher na aldeia resultava que ninguém jamais pudera explicar a existência daquelas letras, e que o ABADE Cochet em seu precioso livro sobre Etretat, debruçara-se em vão sobre esse enigma. Mas Isidore conhecia o que aquele sábio arqueólogo normando ignorava, isto é, a presença das duas letras no documento, na linha das indicações. Coincidência? Impossível. Então?

As origens de Etretat. — No fim das contas, o Abade Cochet parece haver chegado à conclusão de que as duas letras eram apenas iniciais de algum forasteiro em trânsito. Os esclarecimentos que aqui trazemos demonstram o erro dessa suposição. (N. do A.)

Uma ideia lhe veio, bruscamente. E tão racional, tão simples, que ele não duvidou nem um minuto de sua exatidão. Esse D e esse F não seriam as iniciais das duas palavras mais importantes do documento? Palavras essas que representavam — junto com a Agulha — as etapas essenciais do caminho a seguir, o Quarto das Donzelas e o Forte de Fréfossé? A letra D de Donzelas e F de Fréfossé exprimiam uma relação estranha demais para ser fruto do acaso.

Desse modo, o problema se colocaria assim: o grupo DF representa a relação existente entre o Quarto das Donzelas e o Forte de Fréfossé. A letra D isoladamente, no início da linha, representa as Donzelas, isto é, a gruta onde é preciso que a pessoa se coloque, antes de mais nada. A letra isolada F, colocada no meio da linha, representa Fréfossé, isto é, a provável entrada do subterrâneo.

Entre esses diversos sinais restam ainda dois: uma espécie de retângulo irregular, marcado por um semicírculo à esquerda e embaixo, e o número 19. Esses sinais, evidentemente, indicam aos que se encontrarem na gruta a forma de penetrar sob o forte.

A forma do retângulo intrigava Isidore. Haveria à sua volta, nos muros, ou pelo menos à sua vista, uma inscrição, alguma coisa que lembrasse uma forma retangular?

Procurou longamente, e estava a ponto de abandonar essa pista, quando seus olhos encontraram a pequena abertura feita na rocha, e que era como uma janela do quarto. Ora, as bordas dessa abertura formavam, precisamente, um retângulo rugoso, irregular, grosseiro, porém um retângulo. Logo Beautrelet constatou que, colocando os dois pés sob o D e o F gravados no solo — e dessa forma explicava-se o traço superposto às duas letras no documento, ficava-se exatamente à altura da janela!

Postou-se nesse local e olhou. A janela estava dirigida para terra firme; via-se, em primeiro lugar, o caminho que ligava a gruta à terra, caminho esse suspenso entre dois abismos. Em seguida avistava-se a própria base da colina, sobre a qual havia o forte. Para tentar ver o forte, Beautrelet inclinou-se para a esquerda e foi então que entendeu o significado do traço arredondado que marcava o documento. Embaixo e à esquerda da janela, um fragmento de sílex formava uma saliência. E a extremidade desse fragmento recurvava-se como uma garra. Dir-se-ia um ponto de mira. E aplicando-se o olho a esse ponto de mira, o olhar recortava na encosta da colina uma superfície de terreno bastante limitada e quase totalmente ocupada por um velho muro de tijolos, vestígio do antigo Forte de Fréfossé, da antiga fortificação romana, situada naquele local.

Beautrelet correu para aquele trecho de muro, cujo comprimento era de aproximadamente dez metros e cuja superfície era coberta de hera e outras plantas. Não conseguiu nenhuma pista. E aquele número 19?

Voltou à gruta, retirou do bolso um rolo de barbante e uma fita métrica que havia trazido consigo, amarrou o barbante no ângulo de sílex, amarrou uma pedra na altura do décimo nono metro e lançou-a em direção à terra. A pedra foi apenas até a extremidade do caminho.

Sou um idiota — murmurou Beautrelet. — Então naquela época se media por metros? Dezenove significa dezenove toesas, é claro!

Efetuados os cálculos, mediu trinta e sete metros de barbante, fez um nó e procurou, tateando, sobre a face do muro, o local exato onde o nó, dado a trinta e sete metros da janela do Quarto das Donzelas, coincidiria com o muro de Fréfossé. Minutos depois estabeleceu-se o ponto de contato. Com a mão que estava livre, Beautrelet afastou a vegetação que crescia entre os tijolos.

De repente, deixou escapar um grito: o nó que ele aplicava ao muro com a ponta de seu indicador apoiava-se no centro de uma cruzinha, esculpida em relevo num dos tijolos.

Ora, o sinal que seguia o número 19, no documento, era uma cruz!

Precisou de todas as suas forças para dominar a emoção que o invadiu. Com os dedos crispados agarrou precipitadamente a cruz e, apoiando-se sobre ela, girou-a como se girasse os raios de uma roda. O tijolo oscilou. Redobrou seus esforços, mas ele não saiu do lugar. Então, sem tentar girá-lo, apoiou-se com mais força. Logo sentiu que ele cedia. Súbito, houve um deslocamento, um ruído de fechadura que se abre e, à direita do tijolo, numa largura de um metro, parte do muro girou sobre si mesmo, descobrindo a entrada de um subterrâneo.

Enlouquecido, Beautrelet agarrou o portão de ferro contra o qual os tijolos estavam aplicados, puxou-o com violência e fechou-o. O espanto, a alegria, o medo de ser surpreendido convulsionavam seu rosto a ponto de torná-lo irreconhecível. Teve a visão assustadora de tudo que já se havia passado ali, diante daquela porta, durante vinte séculos... de todas as personagens iniciadas no grande segredo que haviam transposto aquela passagem... celtas, gauleses, romanos, normandos, ingleses, franceses, barões, duques, reis e, depois de todos eles, Arsène Lupin... e depois de Lupin, ele, Beautrelet... Sentiu que seu cérebro se perturbava. Suas pálpebras pesaram. Caiu desmaiado e rolou pela encosta até a borda do precipício.

Sua tarefa estava encerrada. Ou, pelo menos, a parte da tarefa que ele podia realizar sozinho, com os recursos de que dispunha.

À noite escreveu ao chefe da Segurança uma longa carta, onde relatava fielmente os resultados de sua investigação e entregava o segredo da Agulha Oca. Pedia reforços para terminar a missão e dava seu endereço.

Esperando a resposta, passou duas noites consecutivas no Quarto das Donzelas. Passou-as dominado pelo medo, os nervos tensos por um pavor que só fazia crescer com os ruídos noturnos. Acreditava, a todo instante, ver sombras que avançavam para ele. Sabiam de sua presença na gruta... estavam se aproximando... iam esganá-lo... No entanto, seu olhar, obstinadamente fixo, sustentado por toda a força de sua vontade, colava-se ao portão disfarçado no muro.

Durante a primeira noite, à luz das estrelas e de um minguado quarto de lua, viu que a primeira porta se abria e vultos emergiam das trevas. Contou dois, três, quatro, cinco.

Pareceu-lhe que os cinco homens levavam fardos bastante volumosos. Seguiu-os. Cortaram reto pelos campos, até a estrada do Havre, e logo ele percebeu o barulho de um automóvel que se afastava.

Voltando para a gruta, contornou uma grande herdade, mas, na curva do caminho que a circundava, teve o tempo exato para escalar o barranco e esconder-se atrás das árvores. Outros homens passavam... quatro... cinco... e todos carregados de pacotes. Dois minutos mais tarde, outro motor roncou. Dessa vez ele não teve mais coragem de voltar a seu posto. Recolheu-se ao hotel.

De manhã, o garçom entregou-lhe um envelope. Abriu-o. Era o cartão de visitas de Ganimard.

— Até que enfim! — suspirou Beautrelet, que depois de um trabalho tão duro sentia-se realmente necessitado de ajuda.

Precipitou-se com as mãos estendidas. Ganimard tomou-as, olhou bem para ele e disse: — Você é um grande sujeito, meu rapaz!

— Ora, o acaso me ajudou.

— Não existe acaso com ele — afirmou o inspetor, que sempre falava de Lupin com ar solene, nunca pronunciando seu nome.

Sentaram-se.

— Então, ele está seguro?

— Como já esteve mais de vinte vezes — disse, rindo, Beautrelet.

— Sim, mas desta vez...

— Desta vez o caso é diferente. Conhecemos seu esconderijo, sua fortaleza, tudo aquilo que contribui para que Lupin seja Lupin. Ele pode escapar. Mas a Agulha de Etretat não pode.

— Por que supõe que ele escape? — perguntou, inquieto, Ganimard.

— Por que supõe que ele precise escapar? — respondeu Beautrelet. — Nada prova que ele esteja, atualmente, na Agulha. Esta noite, onze de seus cúmplices saíram. Talvez ele fosse um desses onze. Ganimard refletiu.

— Tem razão. O essencial é a Agulha Oca. Quanto ao resto, esperemos que a sorte nos favoreça. E, agora, vamos conversar.

Retomou sua voz grave, seu ar importante e disse:

— Caro Beautrelet, tenho ordem de lhe recomendar, a propósito deste caso, a mais absoluta discrição.

— Ordem de quem? — perguntou, divertido, Beautrelet. — Do chefe de polícia?

— Mais alto.

— Do presidente do Conselho?

— Mais alto.

— Opa!

Ganimard baixou a voz:

— Beautrelet, venho do Palácio dos Elíseos. Este caso é considerado segredo de Estado, de extrema gravidade. Há sérias razões para que se mantenha em segredo esta cidadela invisível... sobretudo razões estratégicas. Isto aqui poderá se tornar um centro de reabastecimento, um depósito de novos explosivos, de projéteis recém-inventados, sei lá... O arsenal secreto da França.

— Mas como podem esperar guardar um segredo como este? Antigamente, um único homem o detinha... o rei. Hoje, nós já somos alguns a conhecê-lo, sem contar o bando de Lupin.

— Ora! Mesmo se conseguíssemos apenas cinco ou dez anos de segredo, esses anos podem representar muito mais...

— Mas, para tomarmos essa cidadela, esse futuro arsenal, é necessário atacá-lo, é preciso desalojar Lupin. E tudo isso não se faz sem barulho.

— Evidentemente vão adivinhar alguma coisa, mas não vão saber. De qualquer modo, vamos experimentar.

— Está bem. Qual é seu plano?

— Para começar, você não é Isidore Beautrelet e também não existe nenhum Arsène Lupin. Você é e continuará sendo um garoto de Etretat que, vadiando por aí, surpreendeu uns sujeitos saindo de um subterrâneo. Supõe que exista uma escada perfurando a falésia de cima a baixo, não é mesmo?

— Sim, existem várias dessas escadas ao longo da costa. Olhe, aqui perto assinalaram-me, em frente a Bénouville, a Escada do Cura, conhecida por todos os banhistas. Isso, para não falar dos três ou quatro túneis destinados aos pescadores.

— Logo, eu e a metade de meus homens marcharemos guiados por você. Entrarei só ou acompanhado, isso veremos depois. Em todo caso, está decidido que o ataque será por ali. Se Lupin não estiver na Agulha, nós colocaremos uma ratoeira. Mais dia menos dia ele cairá nela. Se ele estiver...

— Se ele estiver lá, Sr. Ganimard, fugirá da Agulha pela saída dos fundos, aquela que dá para o mar.

— Nesse caso ele será preso imediatamente pela outra metade de meus homens.

— Sim, mas se, conforme suponho, vocês houverem escolhido o momento em que a maré baixa? Ela deixa a descoberto a base da Agulha. Assim, a caça será pública, já que a ação se desenrolará diante de todos os pescadores e pescadoras de camarões, ostras e mariscos que pululam nas rochas vizinhas.

— É exatamente por isso que escolherei a hora da preamar.

— Nesse caso ele fugirá num barco.

— E como eu terei espalhado por ali uma dúzia de barcos de pesca, cada um dos quais comandado por um de meus homens, ele será colhido na rede.

— E se ele passar entre sua dúzia de barcos como um peixe entre as malhas da rede?

— Nesse caso eu atiro e afundo seu barco.

— Puxa! Mas então o senhor pretende usar canhões?

— Claro que sim. Neste momento há um torpedeiro no Havre. Basta um telefonema e ele estará, à hora marcada, nas cercanias da Agulha.

— Lupin ficará orgulhosíssimo!... Um torpedeiro!... Bem, pelo que estou vendo, Sr. Ganimard, tudo está previsto. Resta apenas agirmos.

— Quando vamos atacar?

— Amanhã.

— À noite?

— Em pleno dia, na subida da maré, às dez horas.

— Perfeito.

Sob uma aparente alegria, Beautrelet escondia uma grande angústia. Não conseguiu dormir, pois mil planos impraticáveis alternavam-se em sua mente.

Ganimard dirigira-se a Yport, a uma dezena de quilômetros de Etretat, onde, por prudência, havia marcado encontro com seus homens, e onde fretaria doze barcos de pesca. Para todos os efeitos tratava-se de sondagens ao longo da costa.

Às quinze para as dez, escoltado por doze homenzarrões, encontrou-se com Isidore, embaixo do caminho que subia para as falésias. Às dez horas em ponto chegaram diante do painel giratório do muro. Era o momento decisivo.

— O que é que há, Beautrelet? Você está ficando verde! — zombou Ganimard.

— E o senhor? Parece até que está chegando sua última hora... — respondeu Beautrelet.

Sentaram-se os dois, e Ganimard engoliu uns tragos de rum.

— Não é medo — disse ele, mas, puxa, que emoção! Cada vez que eu estou prestes a segurar esse sujeito me dá um negócio no estômago! Quer um gole?

— Não.

— E se você ficar no caminho?

— Só morto.

— Enfim, vamos ver. Abra, agora. Não há perigo de sermos vistos?

— Não. A Agulha é mais baixa que a falésia e, além disso, estamos numa reentrância do terreno.

Beautrelet aproximou-se do muro e fez pressão sobre o tijolo. Produziu-se o deslocamento, e a entrada do subterrâneo apareceu. À luz das lanternas que acenderam, puderam ver que era abobadado e que essa abóbada, bem como o solo, era totalmente recoberta de tijolos.

Andaram durante alguns segundos e logo encontraram uma escada. Beautrelet contou quarenta e cinco degraus recobertos de tijolos, que a ação lenta dos passos havia afundado no meio.

— Santo Deus! — exclamou Ganimard, que ia na frente e que havia parado de súbito, como se tivesse esbarrado em alguma coisa.

— O que foi?

— Uma porta!

— Diabo! — murmurou Beautrelet ao vê-la. — E nada fácil de botar abaixo. Nada mais, nada menos que um bloco de ferro.

— Estamos perdidos — disse Ganimard. — Não há nem mesmo uma fechadura.

— Exatamente. E é isso que está me dando uma esperança...

— Por quê?

— Uma porta é feita para se abrir. E se essa não tem fechadura, é porque existe um segredo para abri-la.

— E como não conhecemos o segredo...

— Mas eu vou descobri-lo.

— De que jeito?

— Através do documento. A quarta linha não tem outra razão de ser que não seja a de resolver dificuldades, conforme se apresentem. E a solução é relativamente fácil, já que foi anotada para ajudar e não para atrapalhar.

— Não sou da sua opinião — exclamou Ganimard, que tinha desdobrado o documento. — O número 44 e um triângulo marcado com um ponto à esquerda... isso me parece um tanto quanto obscuro.

— Que nada, nem tanto. Examine a porta. Você vai notar que ela é reforçada nos quatro cantos por placas de ferro em forma de triângulo, e que essas placas são mantidas por grandes pregos. Note a placa de baixo, à esquerda; faça girar o prego colocado no ângulo... Existem nove probabilidades contra uma de acertarmos.

— Você caiu na décima — disse Ganimard, após haver experimentado.

— Então, o negócio é o número 44... Enquanto refletia, Beautrelet monologava em voz baixa:

— Vejamos, Ganimard e eu estamos no último degrau da escada... São quarenta e cinco degraus... Por que quarenta e cinco, já que o número do documento é quarenta e quatro?... Coincidência?... Não... Em toda essa história nunca houve coincidências, pelo menos involuntárias. Ganimard, tenha a gentileza de subir um degrau... Assim. Não saia desse quadragésimo quarto degrau. Agora eu farei girar o prego. Tem que dar certo, do contrário estarei perdendo meu latim.

Com efeito, a pesada porta girou sobre seus gonzos, e uma caverna bastante espaçosa surgiu diante de seus olhos.

— Devemos estar exatamente debaixo do Forte de Fréfossé — disse Beautrelet. — As camadas de terra foram todas ultrapassadas. Não há mais tijolos. Estamos em plena massa calcária.

A sala era difusamente iluminada por um feixe de luz vindo da outra extremidade. Aproximando-se, viram que se tratava de uma fenda do rochedo, aberta em uma saliência da pedra, e que funcionava como uma espécie de observatório.

Diante deles, a uma distância de cinquenta metros, surgia no meio das ondas o impressionante bloco da Agulha. À direita, pertinho, estava o arco da Porta de Aval e, à esquerda, bem longe, fechando a curva harmoniosa de uma vasta enseada, outro arco, ainda mais imponente, recortava-se na rocha. Era o arco de Manneporte (Magna Porta), tão grande que um navio poderia passar por baixo, com seus mastros levantados e todas as velas içadas.

— Não estou vendo nossa flotilha — disse Beautrelet.

— Nem poderia — respondeu Ganimard. — A Porta de Aval tapa toda a costa de Etretat e de Yport. Mas repare, lá longe, ao largo, aquela linha escura, ao nível do mar...

— Sim, estou vendo.

— Pois bem, é a nossa frota de guerra, o torpedeiro número 25. Lupin que tente fugir, agora! Só se ele quiser conhecer as paisagens submarinas.

Uma rampa conduzia ao orifício da escada, perto da fenda. Penetraram por ele. De tempo em tempo uma janelinha perfurava a parede da rocha, e através dela sempre avistavam a Agulha, cujo volume lhes parecia cada vez mais colossal. Um pouco antes de chegar ao nível da água, as janelas acabaram e a escuridão foi total.

Isidore contava os degraus em voz alta. Na altura do tricentésimo quinquagésimo oitavo desembocaram num corredor mais longo, trancado por mais uma porta de ferro, reforçada também por chapas e pregos.

— Já conhecemos esse código — disse Beautrelet. — O documento indica o número 357 e um triângulo à direita. Temos apenas que recomeçar a operação.

A segunda porta obedeceu, como a primeira. Um longo, longuíssimo túnel apareceu, iluminado a intervalos regulares pela luz clara de lanternas suspensas da abóbada. Os muros estavam suados de umidade, e gotas de água pingavam no chão, no qual haviam sido colocadas compridas tábuas, que formavam uma verdadeira calçada para facilitar a passagem.

— Estamos passando por baixo do mar — disse Beautrelet. — O senhor vem, inspetor?

Ganimard aventurou-se pelo túnel, seguindo pela passarela de madeira e parando diante de uma lanterna. Tirou-a do gancho e observou-a.

— Os utensílios datam, talvez, da Idade Média, mas a iluminação é recente. Esses senhores usam camisas modernas em seus candeeiros.

Continuaram caminhando. O túnel terminava em outra gruta de maiores proporções, onde se viam, em frente, os primeiros degraus de outra escada ascendente.

— Agora começa a subida para a Agulha — disse Ganimard. — A coisa começa a ficar mais séria.

Mas um de seus homens o chamou:

— Chefe, há outra escada ali à esquerda! E logo em seguida descobriram mais outra, à direita.

— Diabo! — murmurou o inspetor. — A situação está se complicando. Se passarmos por aqui eles poderão fugir por lá.

— Vamos nos separar — propôs Beautrelet.

— Não, não... isso nos enfraqueceria... É preferível que um de nós vá na frente, como batedor.

— Eu vou, se o senhor quiser...

— Está bem, Beautrelet. Eu ficarei aqui com meus homens. Assim não haverá perigo. É possível que haja outros caminhos além do que seguimos, na falésia... e vários outros, também, através da Agulha. Mas entre a falésia e a Agulha certamente não pode haver outra comunicação a não ser o túnel. Logo, eles terão que passar por esta gruta. Por conseguinte, eu me instalo nela até sua volta. Vá, Beautrelet, e seja prudente... Ao menor perigo, volte atrás.

Isidore desapareceu rapidamente pela escada do meio. No trigésimo degrau, uma porta comum, de madeira, interrompeu sua passagem. Girou a maçaneta. Não estava trancada.

Entrou numa sala que lhe pareceu muito baixa, de tão ampla que era. Fortemente iluminada por lanternas, sustentada por grossas colunas, por entre as quais se abriam vastas perspectivas, a sala devia ter, mais ou menos, as mesmas dimensões que a base da Agulha. Estava atravancada de caixotes e de uma quantidade de objetos, móveis, baús, credencias, cofres, tudo numa grande confusão, como se fosse um porão de antiquário.

À sua direita e à esquerda, Beautrelet avistou os buracos de duas escadas, as mesmas, sem dúvida, que vinham da gruta inferior. Ele poderia, portanto, ter voltado e avisado Ganimard. Mas, à sua frente, subia uma nova escada. Teve, então, a curiosidade de prosseguir sozinho as investigações.

Mais trinta degraus. Outra porta, em seguida uma sala um pouco menor, conforme pareceu a Beautrelet. E outra vez, à frente, nova escada que subia. Outros trinta degraus... Uma porta... Uma sala menor...

Beautrelet entendeu então o projeto executado no interior da Agulha. Era uma série de salas, superpostas e, consequentemente, cada vez mais exíguas. Todas serviam como depósito.

Na quarta sala não havia mais lanternas. Um pouco de claridade filtrava-se através das fendas. Beautrelet avistou o mar a uns dez metros abaixo.

Nesse instante, sentiu-se tão longe de Ganimard que foi invadido pela angústia. Teve que dominar os nervos para não fugir correndo dali. No entanto, nenhum perigo o ameaçava. O silêncio a seu redor era tal, que chegou a pensar que a Agulha talvez tivesse sido abandonada por Lupin e seus cúmplices.

No próximo andar eu paro, pensou consigo mesmo.

Mais trinta degraus, mais uma porta, essa com um aspecto já mais moderno e mais leve. Empurrou-a devagarinho, pronto para a fuga. Ninguém. Mas a sala era diferente das outras, quanto à utilização. As paredes eram forradas de tapeçarias e o chão atapetado. Dois magníficos aparadores, colocados frente a frente, estavam carregados de ourivesaria. As janelinhas, abertas nas fendas estreitas e profundas da rocha, estavam guarnecidas de vitrais.

No meio da sala, uma mesa ricamente posta, com toalha de renda, compoteiras de frutas, bolos, champanha em garrafas de cristal... e flores, montanhas de flores.

Em volta da mesa, três lugares postos.

Beautrelet aproximou-se. Sobre os guardanapos estavam os cartões, com os nomes dos convidados. Leu o primeiro: Arsène Lupin. Em frente: Mme. Arsène Lupin.

Tomou o terceiro cartão e estremeceu de espanto. Nele estava seu nome: Isidore Beautrelet.

Capítulo 10
O TESOURO DOS REIS DA FRANÇA

Uma cortina se abriu.
— Bom dia, meu caro Beautrelet! Você está um pouco atrasado. O almoço estava marcado para o meio-dia. Mas, enfim, alguns minutos a mais... O que houve?... Não está me reconhecendo?... Mudei tanto assim?

Durante a luta contra Lupin, Beautrelet tivera várias surpresas. Por isso, já esperava que na hora do desfecho tivesse que passar por mais algumas emoções. Mas desta vez o choque fora imprevisível. Aquilo já não era mais espanto, e sim estupor, pânico mesmo...

O homem que estava à sua frente, o homem que a brutal força dos acontecimentos o obrigava a considerar como sendo Arsène Lupin, esse homem era Valméras. Valméras! O proprietário do Castelo da Agulha. Valméras! Aquele mesmo Valméras a quem ele havia pedido socorro contra Arsène Lupin. Valméras! Companheiro na expedição a Crozant. Valméras! O corajoso amigo que havia tornado possível a evasão de Raymonde, ferindo, ou fingindo ferir, na penumbra do vestíbulo, um cúmplice de Lupin!

— Você... você... Então é você! — balbuciava Beautrelet.

— E por que não? Você pretendia, por acaso, conhecer-me definitivamente, só por ter-me visto vestido de sacerdote ou sob a aparência de Sr. Massiban? Ai de mim! Quando se escolhe uma posição social como a minha, é preciso utilizar certos talentozinhos de salão. Se Lupin não pudesse ser, a seu bel-prazer, pastor da igreja luterana ou membro da Academia de Inscrições e Belas-Letras, de nada adiantaria ser Lupin. Ora, Lupin, o verdadeiro Lupin, Beautrelet, é este aqui! Abra bem os olhos para vê-lo...

— Mas então... se é você... nesse caso... a senhorita...

— Pois é, Beautrelet, é isso mesmo. Afastou novamente a cortina, fez um gesto e anunciou:

— Sra. Arsène Lupin.

— Oh! — exclamou o rapaz, completamente atrapalhado. — Senhorita de Saint-Véran!

— Não, não — protestou Lupin. — Sra. Arsène Lupin, ou melhor, se você preferir, Sra. Louis Valméras, minha esposa legítima, conforme as mais rigorosas formas legais. E graças a você, meu caro Beautrelet.

E estendeu-lhe a mão.

— Meus melhores agradecimentos... e, sem rancor de sua parte, espero.

Estranhamente, Beautrelet não sentia o menor rancor. Nenhuma amargura. Era tão grande a superioridade de seu adversário, que não se envergonhou de ter sido vencido por ele. Apertou a mão que lhe era oferecida.

— O almoço está na mesa.

Um criado tinha colocado sobre a mesa uma bandeja repleta de alimentos.

— Perdoe-nos, Beautrelet... Meu mestre-cuca está de folga. Seremos obrigados a comer frios.

Beautrelet não tinha a menor vontade de comer. Sentou-se, no entanto, terrivelmente interessado na atitude de Lupin. O que saberia ele, ao certo? Teria ele a noção exata do perigo que corria? Ignoraria ele a presença de Ganimard e seus homens?...

Lupin prosseguiu:

— Sim, graças a você, meu caro amigo. Positivamente, Raymonde e eu nos amamos desde o primeiro dia. O sequestro de Raymonde, seu cativeiro, tudo isso foi mentira. Nós nos amávamos... Mas nem ela nem eu, assim que ficamos livres para nos amarmos, poderíamos admitir que existisse entre nós uma dessas ligações passageiras, à mercê do acaso. A situação era, então, insolúvel para Lupin. Mas não seria se eu voltasse a ser Louis Valméras, papel que não cessei de exercer desde a minha infância. Foi então que tive a ideia — já que você não soltava a presa e havia encontrado o Castelo da Agulha — de me aproveitar de sua obstinação.

— E de minha ingenuidade.

— Ora, quem não teria caído no logro?

— De forma que foi com a minha cobertura e meu apoio que você conseguiu ser bem-sucedido em seu plano?

— Claro! Como poderia alguém suspeitar que Valméras fosse Lupin, já que Valméras era amigo de Beautrelet e que Valméras acabava de arrancar de Lupin aquela a quem ele amava? E foi encantador. Que lindas lembranças! A expedição a Crozant! Os buquês de flores encontrados! Minha suposta carta de amor a Raymonde! Em seguida, as precauções que eu, Valméras, tive que tomar contra mim, Lupin, antes do casamento! E a noite do seu famoso banquete, quando você desfaleceu em meus braços! Lindas recordações!...

Houve um silêncio, Beautrelet observava Raymonde. Ela escutava Lupin, sem dizer nada. Olhava-o com olhos de amor, paixão e algo mais que o rapaz não conseguia definir... Uma espécie de acanhamento, de inquietação, de tristeza confusa. Mas Lupin olhou para ela e, logo, ela lhe sorriu com ternura. Por sobre a mesa, suas mãos se uniram.

— O que é que você acha das minhas instalaçõezinhas, Beautrelet? — perguntou Lupin. — Têm classe, não é? Não tenho pretensões de que sejam a última palavra em matéria de conforto... No entanto, algumas pessoas já se contentaram com elas e não foram pessoas de pouca importância, você sabe... Olhe só a lista de algumas das personagens que foram proprietárias da Agulha e que tiveram a honra de nela deixar a marca de sua passagem.

Gravados nas paredes, alinhavam-se os seguintes nomes:

— César... Carlos Magno... Roll... Guilherme, o Conquistador... Ricardo, rei da Inglaterra... Luís XI... Francisco I... Henrique IV... Luís XIV... Arsène Lupin.

— Quem mais se inscreverá agora? — retomou. — Infelizmente a lista está encerrada. De César a Lupin, e pronto. Dentro em breve será a multidão anônima que virá visitar esta estranha cidadela. E pensar que, sem Lupin, tudo isto ficaria para sempre desconhecido pelos homens! Ah, Beautrelet! No dia em que pus os pés neste solo abandonado... que sensação de orgulho! Reencontrar o segredo perdido, tornar-me senhor dele, o único senhor! Herdeiro de tal herança! Depois de tantos reis, habitar a Agulha!...

Um gesto de sua mulher o interrompeu. Parecia estar muito nervosa.

— Um barulho — disse ela. — Ouço um barulho por baixo de nós. Está ouvindo?

— É apenas o marulho — disse Lupin.

— Não, não... O barulho das ondas eu conheço... É outra coisa...

— Que quer que seja, querida? — respondeu, rindo, Lupin. — Convidei só Beautrelet para almoçar.

E, dirigindo-se ao criado:

— Charolais, você fechou as portas das escadas depois da passagem de Sr. Beautrelet?

— Sim, senhor... e tranquei com os ferrolhos. Lupin levantou-se.

— Vamos, Raymonde, não trema assim... Mas como você está pálida!

Disse-lhe algumas palavras em voz baixa, bem como ao criado, e, suspendendo a cortina, fez com que saíssem da sala.

Embaixo, o barulho tornava-se mais claro. Eram golpes surdos que se repetiam a intervalos regulares. Beautrelet pensou:

Ganimard perdeu a paciência. Está quebrando as portas.

Muito calmo, como se nada houvesse escutado, Lupin retornou.

— Por exemplo, quando consegui descobrir a Agulha, isso aqui estava extremamente danificado. Via-se logo que ninguém conhecia o segredo há mais de um século... desde Luís XVI e a Revolução. O túnel ameaçava ruir. As escadas desmoronavam-se. A água corria pelo interior. Foi preciso escorar, consolidar, reconstruir...

Beautrelet não conseguiu deixar de perguntar.

— Quando você chegou, estava tudo vazio?

— Mais ou menos. Os reis não devem ter utilizado a Agulha como eu o fiz, como depósito...

— Usaram então como refúgio?

— Provavelmente sim, durante as invasões e as guerras civis. Mas sua verdadeira utilidade foi... como direi?... a de cofre-forte dos reis da França.

Os golpes redobravam, agora menos abafados. Ganimard devia ter arrombado a primeira porta e atacava a segunda.

Um silêncio, e depois outros golpes foram ouvidos, mais próximos ainda. Era a terceira porta. Faltavam duas.

Por uma das janelas, Beautrelet avistou os barcos que singravam em volta da Agulha e, não longe, flutuando como um grande peixe negro, o torpedeiro.

— Que barulheira! — exclamou Lupin. — Não se consegue conversar direito! Vamos subir? Talvez você esteja interessado em visitar a Agulha...

Passaram ao andar superior, que era defendido, como os outros, por uma porta que Lupin trancou atrás de si.

— Minha galeria de pintura — disse ele.

As paredes estavam cobertas de telas, onde Beautrelet logo distinguiu as mais ilustres assinaturas. Ali estavam a Virgem do Agnus Dei, de Rafael; o Retrato de Lucrezia Fede, de Andréa dei Sarto; a Salomé, de Ticiano; a Virgem e os anjos, de Botticelli; e telas de Tintoreto, Carpaccio, Rembrandt, Velásquez...

— Belas cópias — aprovou Beautrelet. Lupin olhou-o, espantado.

— Como?... Cópias?... Você está louco! As cópias estão em Madri, meu caro... em Florença, em Veneza, em Munique, em Amsterdam...

— Então, estas...

— Estas são as telas originais, colecionadas com paciência em todos os museus da Europa, onde eu as substituí, honestamente, por cópias excelentes.

— Mas um dia desses...

— Um dia desses a fraude será descoberta? Pois bem, encontrarão a minha assinatura atrás de cada tela e saberão que fui eu que dotei meu país de obras-primas originais. Afinal de contas, nada mais fiz do que Napoleão na Itália... Ah! Olhe aqui, Beautrelet, os quatro Rubens de Sr. de Gesvres... Os golpes no interior da Agulha continuavam incessantes.

— Está insuportável! — exclamou Lupin. — Vamos subir mais.

Uma nova escada, uma nova porta.

— A sala das tapeçarias — anunciou Lupin.

As peças não estavam suspensas, mas enroladas, amarradas, etiquetadas e, aliás, misturadas a fardos de tecidos antigos que Lupin desdobrou: brocados maravilhosos, veludos admiráveis, sedas macias em tons descorados, casulas, tecidos de ouro e de prata...

Subiram mais ainda e Beautrelet viu a sala dos relógios, a sala dos livros (que magníficas encadernações, que volumes preciosos, raros, exemplares únicos, subtraídos às grandes bibliotecas!), a sala das rendas, a sala dos objetos de arte... E cada vez o espaço das salas diminuía. E cada vez mais o barulho dos golpes se distanciava. Ganimard perdia terreno.

— Esta é a última — anunciou Lupin. — A sala do tesouro.

Essa era totalmente diferente. Redonda, também, mas muito alta, cônica. Ocupava o topo da construção, e sua base devia encontrar-se a quinze ou vinte metros da ponta da Agulha.

Do lado da falésia não havia nenhuma vigia, mas do lado do mar, como não existia o perigo de nenhum olhar indiscreto, abriam-se duas grandes janelas envidraçadas, por onde a luz entrava abundantemente. O chão era assoalhado de madeiras raras, em desenhos concêntricos. Nas paredes havia vitrinas e alguns quadros.

— As preciosidades da minha coleção — disse Lupin. — Tudo que você viu até agora está à venda. Os objetos vêm e vão. Isso é do ofício. Aqui, neste santuário, tudo é sagrado. Nada que não seja essencial, o melhor entre os melhores, o inapreciável. Veja estas joias, Beautrelet... amuletos caldeus, colares egípcios, braceletes célticos, correntes árabes... Olhe estas estatuetas, Beautrelet... Essa Vênus grega, este Apoio de Corinto... Veja estas tânagras, Beautrelet... Todas as verdadeiras tânagras estão aqui... Fora desta vitrina não há uma no mundo inteiro que seja autêntica. Que prazer em dizer isto! Beautrelet, você se lembra dos saqueadores das igrejas do Midi, da quadrilha do Thomas e seus sequazes?... Meus agentes, diga-se de passagem... Pois bem, eis aqui o relicário de Ambazac, o autêntico, Beautrelet! Olhe, olhe bem, Beautrelet! Olhe aqui a maravilha das maravilhas! A obra suprema, a concepção de um deus! Eis a Gioconda de Da Vinci, a verdadeira! De joelhos, Beautrelet! A mulher total está diante de você!

Um longo silêncio estabeleceu-se entre eles. Embaixo, os golpes se aproximavam. Duas ou três portas, nada mais, os separavam de Ganimard.

Ao largo, avistava-se o dorso negro do torpedeiro e as barcas que cercavam a Agulha. Beautrelet indagou:

— E o tesouro?

— Ah, menino!... É isso que lhe interessa!... Todas essas obras-primas da arte humana, nada disso vale tanto, para a sua curiosidade, quanto a contemplação do tesouro, não é verdade?... E o pior é que a plebe será igual a você... Vamos, seja feita a sua vontade...

Bateu violentamente com o pé no chão, fazendo balançar um dos círculos que compunham o desenho do assoalho. Depois, levantando-o como se fosse a tampa de uma caixa, descobriu uma espécie de tina, cavada dentro da rocha. Estava vazia. Um pouco adiante executou a mesma manobra. Outra tina apareceu. Igualmente vazia. Recomeçou outras três vezes. Todas estavam vazias.

— Que decepção, hem? — zombou Lupin. — Sob Luís XI, sob Henrique IV, sob Richelieu, as cinco tinas deviam estar repletas. Mas pense um pouco em Luís XIV, pense nas loucuras de Versailles, nas guerras, nos grandes desastres daquele reinado! E pense em Luís XV, o rei pródigo, na Pompadour, na Du Barry! O que devem ter arrancado daqui! Devem ter arranhado a própria pedra, com suas garras! Está vendo, não sobrou nada...

Interrompeu-se.

— Aliás, Beautrelet, resta ainda o sexto esconderijo. Esse permaneceu intangível. Nenhum deles ousou tocá-lo. Seria o recurso supremo, por assim dizer, o último vintém. Olhe, Beautrelet...

Abaixou-se e suspendeu a tampa. Um cofrezinho de ferro ocupava a cavidade. Lupin tirou do bolso uma chave de forma e desenho intrincados e abriu.

Foi um deslumbramento. Todas as pedras preciosas cintilavam, todas as cores resplandeciam, o azul das safiras, o fogo dos rubis, o verde das esmeraldas, o sol dos topázios...

— Veja, veja, Beautrelet... Eles devoraram todas as moedas de ouro, todas as moedas de prata, todos os escudos, ducados, os dobrões... mas o cofre de pedras preciosas está intacto! Olhe as montagens. São de todas as épocas, de todos os séculos, de todos os países. Os dotes das rainhas estão aí. Cada uma trouxe a sua parte. Margarida da Escócia e Carlota da Savoia, Maria da Inglaterra e Catarina de Médicis e todas as arquiduquesas da Áustria... Eleonora, Isabel, Maria Teresa, Maria Antonieta... Veja estas pérolas, Beautrelet, e estes diamantes! O tamanho destes diamantes! Não há um só que não seja digno de uma imperatriz! O Régent da França não é mais belo!

Levantou-se e estendeu a mão para um juramento.

— Beautrelet, você dirá ao mundo que Lupin não tirou uma só pedra que se encontrava no cofre real, nem uma única, eu o juro pela minha honra! Eu não tinha esse direito. Era o tesouro da França...

Embaixo, Ganimard se apressava. Pela repercussão das batidas, era fácil calcular que atacavam a penúltima porta. Aquela que dava acesso à sala dos objetos de arte.

— Deixemos o cofre aberto — disse Lupin, e também todas as tinas, todos esses pequenos túmulos vazios...

Deu uma volta na sala, examinou algumas vitrinas, contemplou certos quadros e, enquanto caminhava, com um ar pensativo, disse:

— Como é triste deixar tudo isso! Que sofrimento! Passei aqui as mais belas horas de minha vida, diante destes objetos que amei... E meus olhos não os verão mais, nem minhas mãos os tocarão...

Havia no seu rosto contraído uma tal expressão de cansaço que Beautrelet sentiu por ele uma confusa piedade. A dor nesse homem devia ter maiores proporções que nos outros, da mesma forma que a alegria, que o orgulho, ou a humilhação.

Aproximando-se da janela e apontando para o horizonte, Lupin continuou:

— O que me entristece mais ainda é isto... tudo isto que terei que abandonar. Não é lindo? O mar imenso... o céu... à direita e à esquerda as falésias de Etretat, com suas três portas, a Porta de Amont, a Porta de Aval, a Manneporte... portas que são arcos de triunfo para o senhor... e o senhor era eu! Rei da aventura! Rei da Agulha Oca! Reino estranho e sobrenatural! De César a Lupin... que destino!... Estourou de riso.

— Rei de fantasia? Por quê? Digamos, rei de Yvetot! Que bobagem! Rei do mundo, isso sim, eis a verdade! Da ponta desta Agulha eu dominava o mundo! Eu o mantinha entre minhas garras, como uma presa! Suspenda a tiara de Saitafarnes, Beautrelet... Está vendo esse telefone duplo? Do lado direito ele se comunica com Paris, por uma linha especial... À esquerda com Londres, outra linha especial... Através de Londres eu tenho a América, a Ásia, a Austrália! Em todos esses países tenho escritórios, agentes de venda, receptadores... É um tráfico internacional... É o grande mercado da arte e das antiguidades... É a feira mundial! Ah, Beautrelet, há momentos em que o meu próprio poder me vira a cabeça. Fico bêbado de força e de autoridade.

A porta de baixo cedeu. Ouviu-se o barulho de Ganimard e seus homens correndo e procurando. Após um instante, Lupin continuou, em voz baixa:

— Pronto, acabou-se... Uma garota passou, com cabelos louros, belos olhos tristes e uma alma honesta, sim, muito honesta, e acabou-se... Eu mesmo destruo essa formidável construção... todo o resto me parece absurdo e pueril... Nada mais importa a não ser os seus cabelos, seus olhos tristes e sua alma honesta...

Os homens subiam a escada. Uma pancada abalou a porta, a última... Lupin agarrou o braço do rapaz.

— Você entende, Beautrelet, por que foi que eu lhe deixei o campo livre, embora tantas vezes, há várias semanas, eu pudesse tê-lo arrasado? Você entende como conseguiu chegar até aqui? Você compreende que entreguei a cada um de meus homens sua parte nos despojos, e que por isso você os encontrou, aquela noite, nas falésias? Você entende, não é verdade? A Agulha Oca representa a Aventura. Enquanto ela me pertencer, eu continuo a ser o Aventureiro. A Agulha sendo tomada, todo o passado se destaca de mim. O futuro começa, um futuro de paz e felicidade, onde não terei mais de que me envergonhar quando os olhos de Raymonde se pousarem sobre mim. Um futuro... Virou-se furioso para a porta:

— Cale essa boca, Ganimard! Eu ainda não acabei meu discurso!

Os golpes se precipitavam. Dir-se-ia o choque de uma viga contra a porta. De pé, diante de Lupin, Beautrelet, morto de curiosidade, aguardava os acontecimentos, sem compreender a manobra do aventureiro. Que ele entregasse a Agulha, vá lá. Mas por que entregar a si mesmo? Qual seria seu plano? Teria esperanças de escapar de Ganimard? E, por outro lado, onde estaria Raymonde? Enquanto isso, Lupin murmurava sonhadoramente:

— Honesto... Arsène Lupin honesto... Nada mais de roubos... viver como todo mundo... Por que não?... Não há a menor razão para que eu não tenha o mesmo sucesso... Mas me deixe em paz, Ganimard! Você ignora, seu idiota, que estou pronunciando palavras históricas e que Beautrelet as está recolhendo para nossos netos!

E, rindo:

— Estou perdendo meu tempo. Ganimard nunca conseguirá entender a importância de minhas palavras históricas.

Tomou um pedaço de giz vermelho, subiu num banco perto da parede e escreveu em grandes letras:

Arsène Lupin lega à França todos os tesouros da Agulha Oca, sob a única condição de que eles sejam instalados no Museu do Louvre, em salas que tomarão o nome de Salas Arsène Lupin.

— Agora — disse ele — minha consciência está em paz. A França e eu estamos quites.

Os homens atacavam a porta com força total. Uma das almofadas logo foi rompida. A mão de alguém passou por ela, procurando a fechadura.

— Diabo! — disse Lupin. — Ganimard desta vez é capaz de conseguir chegar ao fim.

Jogou-se sobre a fechadura e tirou a chave.

— Pronto, velhinho, esta porta é sólida... Tenho tempo de sobra... Beautrelet, eu me despeço de você... E muito obrigado! Pois, na verdade, você é um rapaz delicado.

Tinha se dirigido para um grande tríptico de Van der Weiden, que representava os Reis Magos. Dobrou a folha da direita, descobrindo uma portinha em cuja maçaneta colocou a mão.

— Boa caçada, Ganimard, e lembranças aos seus!

Um tiro ressoou. Lupin deu um salto para trás.

— Ah, canalha! Atingiu o alvo! Você andou aprendendo a atirar? Liquidou o Rei Mago! Bem no coração! Parece até barraquinha de tiro ao alvo!

— Entregue-se, Lupin! — urrava Ganimard, cujo revólver surgia no buraco da almofada e cujos olhos podiam ser vistos brilhando por trás da porta.

— Renda-se, Lupin!

— E a guarda, se entrega também?

— Se você se mover eu atiro!

— Ora, vamos... Você não pode me atingir aqui!

Com efeito, Lupin se distanciara. E, se Ganimard, através da brecha feita na porta, podia atirar em linha reta, não podia, por outro lado, fazer mira para onde se encontrava Lupin. A situação deste era terrível, pois a saída com a qual contava, a portinha do tríptico, estava bem em frente a Ganimard. Tentar fugir era se expor às balas do policial... e restavam cinco no revólver.

— Puxa! — comentou ele, rindo. — Estou meio por baixo. É bem-feito, Lupin. Você quis ter mais uma última sensação e acabou esticando demais a corda.

Colou-se contra a parede. Mais um pedaço da porta havia cedido sob os esforços dos guardas, deixando Ganimard mais à vontade. Três metros, nada mais, separavam os dois adversários. Mas uma vitrina de madeira dourada protegia Lupin.

— Ajude-me, Beautrelet! — gritou com raiva o velho policial. — Atire logo nele, em vez de ficar olhando desse jeito!

Isidore, de fato, não se tinha movido até aquele momento, permanecendo como espectador vibrante, mas indeciso.

Desejava com todas as suas forças entrar na luta e abater a presa que tinha à sua mercê. Mas um sentimento obscuro o impedia.

O apelo de Ganimard o sacudiu. Sua mão crispou-se na coronha do revólver.

— Se eu tomar um partido, pensou, Lupin está perdido... E eu tenho esse direito... é meu dever...

Seus olhares se encontraram. O de Lupin era calmo, atento, quase curioso, como se no meio do terrível perigo que o ameaçava ele se interessasse apenas pelo problema moral que afligia o rapaz. Isidore se decidiria, ou não, a dar o golpe de misericórdia no inimigo vencido?

A porta cedeu de alto a baixo.

— Ajude-me, Beautrelet, nós o agarraremos! — vociferou Ganimard.

Isidore levantou sua arma.

O que se passou foi tão rápido que ele nem teve consciência. Viu Lupin abaixar-se, correr ao longo da parede, passar ventando em frente à porta e por baixo da arma brandida em vão por Ganimard. E Beautrelet sentiu-se projetado ao chão, imediatamente agarrado e levantado por uma força invencível.

Lupin o mantinha no ar, como um escudo vivo, atrás do qual se escondia.

— Aposto dez contra um como saio desta, Ganimard! Você vê, Lupin tem sempre um recurso...

Tinha recuado, rapidamente, em direção ao tríptico. Mantendo, com uma das mãos, Beautrelet contra seu peito, com a outra abriu passagem, fechando depois a portinha atrás de si. Estava salvo. Logo, uma escada apareceu diante deles, numa brusca descida.

— Vamos — disse Lupin, empurrando Beautrelet diante dele. — O Exército foi vencido. Ocupemo-nos agora da Marinha francesa. Depois de Waterloo, Trafalgar!... O espetáculo está valendo o preço, hein, garoto!... Mas que divertido! Estão atacando o tríptico, agora... Tarde demais, rapazes... Mas ande logo, Beautrelet...

A escada cavada na parede da Agulha, na sua própria casca, circulava em volta da pirâmide, envolvendo-a como a espiral de um tobogã.

Um apressando o outro, atiravam-se, degraus abaixo, dois a dois, três a três. De quando em quando um jato de luz brilhava por uma fresta e Beautrelet tinha uma visão rápida dos barcos de pesca evoluindo a poucos metros do torpedeiro negro.

Desciam, desciam. Isidore silencioso, Lupin sempre exuberante.

— Gostaria de saber o que está fazendo Ganimard, agora. Será que ele está se atirando pelas outras escadas, para me barrar a entrada do túnel? Não, ele não é tão bobo, assim... Ele deve ter deixado lá quatro homens... e quatro homens bastam...

Parou.

— Escute... Estão gritando lá em cima... É isso, eles abriram as janelas e estão chamando a frota... Olhe, os barcos estão se movimentando... estão trocando sinais... o torpedeiro está se mexendo... Bravo, torpedeiro! — Eu o reconheço, você vem do Havre!... — Canhoneiros, a postos!... — Puxa, olhe lá o comandante!... — Bom dia, Duguay-Trouin!

Passou o braço pela janela e acenou com o lenço. Depois, recomeçou a descida.

— A frota inimiga avança a toda força! A abordagem é iminente! Meu Deus, como eu me divirto!

Ouviram som de vozes abaixo deles. Aproximavam-se do nível do mar e desembocaram, quase que de imediato, numa vasta gruta, onde duas lanternas iam e vinham na obscuridade. Uma sombra apareceu e uma mulher se atirou ao pescoço de Lupin.

— Depressa!... Depressa!... Eu estava inquieta!... O que é que você estava fazendo?... Mas você não está sozinho?

Lupin acalmou-a.

— É nosso amigo, Beautrelet... Imagine que ele teve a delicadeza de... Mas eu lhe contarei isso mais tarde... Agora não temos tempo... Charolais, você está aí?... Ah, está bem... O barco?...

— O barco está pronto — respondeu Charolais.

— Ligue — ordenou Lupin.

Logo em seguida ouviu-se o ruído de um motor, e Beautrelet, cujo olhar se habituava pouco a pouco à semiobscuridade, acabou por se dar conta de que eles se encontravam numa espécie de cais, e que diante deles flutuava uma estranha embarcação.

— Um barco submersível — disse Lupin, esclarecendo Beautrelet. — Está assombrado, não é, velhinho?... Não está entendendo? ... Esta água que você está vendo não é outra senão a água do mar que se infiltra quando a maré sobe, nesta escavação. Como resultado, tenho aqui um pequeno ancoradouro invisível e seguro.

— Mas fechado — replicou Beautrelet. — Ninguém pode entrar nem sair dele.

— Eu posso — disse Lupin. — E vou provar.

Conduziu Raymonde até o barco e, em seguida, voltou para buscar Beautrelet. Ele hesitava.

— Está com medo? — perguntou Lupin.

— De quê?

— De ser posto a pique pelo torpedeiro?

— Não.

— Nesse caso, está em dúvida se o seu dever não teria sido permanecer ao lado de Ganimard, da justiça, da sociedade e da moral, em vez de ir para o lado de Lupin, símbolo da vergonha, da infâmia e da desonra?

— Precisamente.

— De qualquer modo, meu filho, você não tem outra opção. No momento é preciso que acreditem que morremos os dois... e que me deixem em paz, pois é o que convém a um futuro homem honesto. Mais tarde, quando eu o libertar, você falará à vontade, já que não terei mais nada a temer.

Pela maneira com que Lupin apertou seu braço, Beautrelet sentiu que toda resistência era inútil. E depois, por que resistir? Não teria ele o direito de se entregar à simpatia irresistível que, apesar de tudo, aquele homem lhe inspirava? Sentimento que se tornou tão nítido que teve vontade de dizer a Lupin: Escute, você está correndo um outro perigo, muito mais grave. Sholmes está na sua pista.

— Vamos logo! — chamou Lupin, antes que ele tivesse oportunidade de falar.

Obedeceu e deixou-se levar até o estranho barco.

Atingiram o tombadilho, enveredaram por uma escadinha que descia a pino, enganchada dentro de uma espécie de alçapão... alçapão que se fechou atrás deles.

Embaixo da escada, onde havia um local de dimensões muito reduzidas, mas fortemente iluminado, e onde já se encontrava Raymonde, os três tinham exatamente o espaço necessário para se sentarem. Sem demora, Lupin desenganchou uma espécie de megafone e ordenou:

— Dê a partida, Charolais!

Isidore teve a desagradável impressão de estar descendo num elevador... aquela impressão de vazio, como se a terra nos faltasse debaixo dos pés. Desta vez não era terra, era a água que cedia e o vazio se abria lentamente...

— Estamos indo a pique, hein? — zombou Lupin. — Fique sossegado... É o tempo exato de passar da gruta superior, onde estávamos, até uma gruta menor, situada mais abaixo. Só se pode penetrar nela durante a maré baixa... Todos os pescadores que colhem mariscos a conhecem... Ah! Uma pequena parada de dos segundos!... Estamos passando... É estreito isso aqui... Exatamente do tamanho deste submersível.

— Mas — interrogou Beautrelet — como é que os pescadores que entram na gruta de baixo não descobriram que ela é furada em cima e se comunica com outra gruta, da qual parte uma escada que atravessa a Agulha? A verdade está aí, à disposição de qualquer um...

— Erro seu, Beautrelet! A abóbada da pequena gruta pública é fechada, quando a maré desce, por um teto móvel da cor da própria rocha. Quando a maré sobe, o teto se move e sobe com ela. Quando a maré desce, ela o recoloca, fechando hermeticamente o topo da gruta pequena. É por isso que eu posso passar, durante a preamar... Engenhoso, hein?... Ideia minha... É verdade que nem César, nem Luís XIV, tampouco qualquer de meus antepassados, poderiam tê-la, já que não gozavam das vantagens de um submersível. Eles se contentavam com a escada que, naquela época, descia até a grutazinha de baixo. Eu suprimi os últimos degraus e imaginei esse teto móvel. Um presente que faço à França.

— Raymonde, minha querida — continuou, apague a lâmpada que está a seu lado... Ela não é mais necessária... pelo contrário...

De fato, uma luz pálida, que parecia ser da própria cor do mar, os iluminava ao sair da gruta. Penetrava na cabina por duas vigias e uma grande calota de vidro que, instalada entre as tábuas do tombadilho, permitia inspecionarem-se as camadas superiores do mar.

Logo, uma sombra deslizou por cima deles.

— O ataque vai começar. A frota inimiga está cercando a Agulha. Mas por mais oca que ela seja, eu me pergunto como é que vão penetrar nela. Tomou o megafone:

— Não vamos emergir ainda, Charolais...

— Aonde vamos?...

— Mas eu já lhe disse... Vamos a Port-Lupin... E rapidamente, hein?...

— É preciso que haja água para atracar... Temos uma senhora conosco.

Passavam raspando pela planície de rochas submarinas. As algas, agitadas, erguiam-se como uma densa e negra vegetação, e as correntes mais profundas as faziam ondular graciosamente, distender-se e alongar-se como cabeleiras flutuantes.

Outra sombra passou, mais longa que a primeira.

— É o torpedeiro... — disse Lupin. — O canhão vai se fazer ouvir... Que fará Duguay-Trouin?... Irá bombardear a Agulha?... O que nós vamos perder, Beautrelet, não assistindo ao encontro entre Duguay-Trouin e Ganimard!... A reunião das forças terrestres e navais!... Como é, Charolais!... Estamos dormindo?...

Na verdade, estavam indo bem rápido. Os campos de areia sucederam os rochedos, logo em seguida avistaram outras rochas que assinalavam a ponta direita de Etretat — a Porta de Amont. Os peixes fugiam à aproximação do submarino. Um deles, mais ousado, grudou-se à vigia, examinando-o com seus grandes olhos imóveis e fixos.

— Agora, sim, estamos andando — exclamou Lupin. — O que é que você diz do meu barquinho, Beautrelet? Nada mau, hein?

— Você se lembra, na aventura do Sete-de-Copas[7], do horrível fim do engenheiro Lacombe? Lembra-se como depois de ter punido seus assassinos ofereci ao Estado seus papéis e seus planos para a construção de um novo modelo de submarino? Mais um presente à França... Pois bem, entre esses planos, guardei os de um barco submersível, e eis como você teve a honra de navegar em minha companhia.

— Charolais — ordenou ele, vamos subir... não há mais perigo!

Subiram rapidamente à superfície e a calota de vidro emergiu. Achavam-se a milhas da costa, por conseguinte fora das vistas do continente. Beautrelet pôde então ter mais noção da rapidez vertiginosa com que avançavam.

Fécamp passou primeiro diante deles, em seguida todas as praias normandas... Saint-Pierre, Petites-Dalles, Veulettes, Saint-Valery, Veules, Quiberville...

Lupin brincava o tempo todo, e Isidore não se cansava de olhá-lo e ouvi-lo, maravilhado com o espírito daquele homem, sua animação, sua molecagem, sua despreocupação, sua ironia, enfim, sua alegria de viver.

Observava também Raymonde. A jovem permanecia silenciosa, colada ao homem a quem amava. De mãos dadas com ele, olhava-o frequentemente, e por várias vezes Beautrelet reparou que as mãos dela se crispavam um pouco, e que a tristeza de seus olhos se acentuava. Era como que uma resposta muda e dolorosa às tiradas de Lupin. Como se a leviandade de suas palavras e sua visão sarcástica da vida lhe causassem sofrimento.

— Não fale assim — murmurou ela. — Rir agora é desafiar o destino. Tantas desgraças ainda podem nos atingir!...

Diante de Dieppe foi necessário submergir para não serem vistos pelas embarcações de pesca. E, vinte minutos mais tarde, rumaram para a costa. Logo, o barco entrou num pequeno porto submerso formado por um corte irregular entre as rochas. Colocou-se ao longo de um molhe e emergiu suavemente.

— Port-Lupin — anunciou Lupin.

O local, situado a cinco léguas de Dieppe e a tres léguas de Tréport, protegido à direita e à esquerda por dois desabamentos da falésia, era absolutamente deserto. Uma areia fina atapetava as dunas da pequena praia.

---

[7] Arsène Lupin, o Ladrão de Casaca.

— À terra, Beautrelet!... Raymonde, me dê a mão... Você, Charolais, volte à Agulha, veja o que está acontecendo entre Ganimard e Duguay-Trouin e venha me contar no final do dia. Estou apaixonado por aquela história.

Beautrelet se indagava, com uma certa curiosidade, como iriam eles sair daquela enseada, quando reparou que nos pés da falésia havia uma escadinha de ferro.

— Isidore — disse Lupin, se você soubesse direito geografia e história, saberia que estamos embaixo da garganta de Parfonval, na comuna de Biville. Há mais de um século, na noite de 23 de agosto de 1803, Georges Cadoudal e seis cúmplices, que desembarcaram na França com a intenção de sequestrar o Cônsul Bonaparte, içaram-se até o alto pelo caminho que eu vou lhe mostrar. Desde então os desmoronamentos destruíram esse caminho. Mas Valméras, mais conhecido sob o nome de Arsène Lupin, restaurou-o às suas próprias custas e comprou a Fazenda de La Neuvillette. É nesta fazenda que os conspiradores passaram a sua primeira noite e onde, longe dos negócios e desinteressado das coisas deste mundo, Lupin vai viver, entre sua mãe e sua mulher, a vida respeitável de um provinciano. O ladrão de casaca morreu, viva o fazendeiro de casaca!

Depois da escada vinha uma garganta abrupta, cavada pelas águas da chuva e no fundo da qual se pendurava um simulacro de escada, guarnecida de um corrimão. Lupin explicou que o corrimão havia sido colocado ali para substituir a estamperche, longa corda fixada a duas estacas e da qual se serviam antigamente os habitantes da região para descer à praia.

Depois de meia hora de ascensão desembocaram em um planalto, próximo de uma dessas cabanas cavadas na terra que servem de abrigo aos guardas de alfândega, na costa. E precisamente na curva seguinte do caminho um desses guardas apareceu.

— Nada de novo, Gomel? — perguntou Lupin.

— Nada, chefe.

— Alguém suspeito?

— Não, chefe... isto é...

— O quê?

— Minha mulher, que é costureira em Neuvillette...

— Sim, eu sei, Césarine... e daí?

— Parece que hoje de manhã havia um marinheiro rondando a aldeia.

— E como era a cara desse marinheiro?

— Meio esquisita... cara de inglês.

— Ah! — fez Lupin, preocupado. — E você deu ordem a Césarine de... — De abrir os olhos?...

— Sim, patrão.

— Está bem. Vigie a volta de Charolais. Daqui a duas ou três horas ele estará de regresso. Se houver alguma coisa, estarei na fazenda.

Retomou o caminho e comentou com Beautrelet:

— Isso me preocupa...

— Será Sholmes? Ah! Se for ele, exasperado como deve estar, pode se temer todo tipo de coisa.

Hesitou um pouco.

— Eu me pergunto se nós não deveríamos voltar... É, estou com maus pressentimentos...

Planícies levemente onduladas se estendiam a perder de vista. Um pouco à esquerda, belas aleias de árvores levavam à Fazenda de Neuvillette, cujas casas já eram avistadas. Era o refúgio que ele havia preparado, o lugar de repouso prometido a Raymonde. Iria ele, por causa de ideias absurdas, renunciar à felicidade no exato momento em que atingia sua meta?

Segurou o braço de Isidore e, mostrando-lhe Raymonde, que os precedia, disse:

— Olhe... Quando ela anda seu corpo tem um ligeiro balanceado que eu não posso ver sem tremer... Tudo nela me causa um tremor de emoção e de amor... seus gestos, sua imobilidade, seu silêncio, o som de sua voz... O próprio fato de andar em suas pegadas me causa bem-estar. Ah, Beautrelet! Poderá ela esquecer, algum dia, que eu fui Lupin? Todo esse passado que ela detesta, será que eu conseguirei apagar de sua memória?

Dominou-se e, com uma obstinada confiança, declarou:

— Ela esquecerá! Esquecerá porque eu lhe sacrifiquei tudo. Sacrifiquei o refúgio inviolável da Agulha Oca, sacrifiquei meu tesouro, meu poder, meu orgulho... sacrifiquei tudo... Não quero ser mais nada... nada a não ser um homem que ama... um homem honesto... já que ela não pode amar a não ser um homem honesto... Afinal de contas, o que me custa ser honesto? Não é mais desonroso do que qualquer outra coisa...

O mesmo sarcasmo lhe escapou, por assim dizer, à sua revelia. Sua voz continuou, grave e sem ironia.

— Veja você, Beautrelet! De todas as alegrias desenfreadas que desfrutei em minha vida de aventuras, não há uma que valha a alegria que me traz o seu olhar, quando ela está satisfeita comigo. Nessa hora me sinto completamente fraco... e tenho vontade de chorar...

Estaria chorando? Beautrelet teve a impressão de que seus olhos estavam molhados de lágrimas. Lágrimas nos olhos de Lupin, lágrimas de amor!

Aproximavam-se do velho portão que dava entrada à fazenda. Lupin estancou por um segundo e murmurou:

— Por que sinto medo?... É uma espécie de opressão... Será que a aventura da Agulha ainda não acabou?... Será que o destino não aceita o desfecho que escolhi?

Raymonde virou-se, também inquieta:

— Lá vem Césarine... Está correndo...

Com efeito, a mulher do guarda alfandegário chegava da fazenda a toda pressa. Lupin precipitou-se:

— O que houve?... Diga logo!

Sufocada, resfolegando, Césarine gaguejou:

— Um homem... eu vi um homem no salão...

— O inglês de hoje de manhã?

— Sim... mas com outro disfarce...

— Ele a viu?

— Não... Viu sua mãe... Sra. Valméras o surpreendeu quando já ia partindo.

— E então?

— Ele disse que procurava Louis Valméras... que era seu amigo...

— E aí?

— Então a senhora respondeu que seu filho estava viajando... por alguns anos...

— E ele foi embora?

— Não. Fez sinais pela janela que dá para a planície... como se estivesse chamando alguém.

Lupin parecia hesitar. De repente um grito cortou o ar. Raymonde gemeu:

— É sua mãe... eu reconheço...

Lupin lançou-se para ela e arrastou-a num impulso feroz e apaixonado.

— Venha... Vamos fugir... Você primeiro...

Mas, logo em seguida, estancou, desorientado, transtornado.

— Não, eu não posso... é abominável... Perdoe-me, Raymonde... Aquela pobre mulher... Fique aqui... Beautrelet, não a deixe.

Correu ao longo do declive que cercava a fazenda, fez a curva e acompanhou-o correndo, até junto da porteira que se abria para a planície. Raymonde, que Beautrelet não conseguira reter, chegou quase ao mesmo tempo que ele. Beautrelet, dissimulado atrás das árvores, avistou na aleia deserta que ia da fazenda até a barreira três homens, um dos quais, o mais alto, vinha na frente. Os dois outros seguravam pelos braços uma mulher que tentava se desvencilhar.

A tarde começava a cair. Ainda assim, Beautrelet reconheceu Herlock Sholmes. A mulher era idosa. Cabelos brancos enquadravam seu rosto lívido. Os quatro se aproximavam. Estavam quase atingindo a porteira. Sholmes havia aberto um dos batentes. Então Lupin avançou e plantou-se diante dele.

O choque, por ser silencioso, pareceu ainda mais terrível, quase solene. Os dois inimigos mediram-se longamente com o olhar. Um ódio igual convulsionava seus rostos. Não se moviam. Lupin pronunciou com uma calma aterrorizante:

— Ordene a seus homens que larguem esta mulher.

— Não.

Poder-se-ia pensar que um e outro temiam iniciar a luta suprema, e que um e outro reuniam todas as suas forças. Nada de palavras inúteis, desta vez, nada de provocações irônicas. Apenas o silêncio, um silêncio mortal.

Louca de angústia, Raymonde esperava o resultado do duelo. Beautrelet segurava-lhe o braço e a mantinha imóvel. Ao fim de um instante, Lupin repetiu:

— Ordene a seus homens que larguem esta mulher.

— Não.

— Escute, Sholmes... — começou Lupin.

Mas interrompeu-se, compreendendo a inutilidade das palavras. Diante daquele colosso de orgulho e vontade que se chamava Sholmes, que significado poderiam ter as ameaças?

Decidido a tudo, Lupin bruscamente levou a mão ao bolso do casaco. O inglês previu o gesto e, saltando sobre sua prisioneira, encostou o cano do revólver em suas têmporas.

— Não faça um gesto, Lupin, senão atiro.

Enquanto isso, seus dois acólitos puxavam também as armas e apontavam-nas para Lupin. Este retesou-se, dominando a raiva que o invadia e, friamente, com as mãos nos bolsos, o peito aberto frente ao inimigo, recomeçou:

— Sholmes, pela terceira vez, deixe esta mulher em paz.

O inglês sorriu ironicamente.

— Não temos o direito de tocá-la, com certeza! Vamos, vamos, chega de brincadeira! Você não se chama Valméras, nem Lupin... É apenas um nome que você roubou, como roubou o nome de Charmerace! E essa que você faz passar por sua mãe é Victoire, sua velha cúmplice, aquela que o criou!

Sholmes cometeu um erro. Levado por seu desejo de vingança, olhou para Raymonde, a quem essas revelações enchiam de horror. Lupin aproveitou a imprudência e, num movimento rápido, abriu fogo...

— Miserável! — berrou Sholmes, cujo braço alvejado caiu ao longo do corpo.

— Atirem logo, vocês aí!... Atirem de uma vez! — pôs-se a berrar Sholmes.

Mas Lupin havia saltado sobre eles, e em menos de dois segundos o da direita rolou por terra, com o peito arrebentado, enquanto o outro, com o queixo partido, desabava de encontro à porteira.

— Mexa-se, Victoire!... Amarre-os... E agora nós dois, seu inglês!...

Abaixou-se, praguejando:

— Canalha!...

Sholmes havia apanhado a arma com a mão esquerda e apontava-a para ele.

Um tiro... um grito de dor... Raymonde tinha se precipitado entre os dois homens, de frente para o inglês. Ela cambaleou, levou a mão à garganta, endireitou-se, rodopiou e abateu-se aos pés de Lupin.

— Raymonde!... Raymonde!...

Ele se atirou sobre ela e apertou-a contra si.

— Morta... — gemeu.

Houve um momento de estupefação. Sholmes parecia confundido por seu ato. Victoire balbuciava:

— Meu filho... meu filho...

Beautrelet aproximou-se da jovem e inclinou-se para examiná-la. Lupin repetia:

— Morta... morta...

Mas seu rosto transformou-se de súbito, arrasado pela dor. E então, sacudido por uma espécie de loucura, disparou a fazer gestos desatinados, retorcendo-se e sapateando como uma criança que sofresse demais.

— Miserável! — gritou, de repente, num acesso de ódio.

E num golpe formidável derrubou Sholmes, agarrou-o pela garganta, enterrando-lhe na carne seus dedos crispados.

— Meu filho, meu filho — suplicava Victoire...

Beautrelet acorreu. Mas Lupin já havia soltado a presa e soluçava ao lado de seu inimigo, estendido no solo.

Espetáculo lastimável! Beautrelet jamais esqueceria aquela cena trágica. Ele, que sabia tudo sobre o amor de Lupin por Raymonde e tudo que o grande aventureiro havia sacrificado de si para ver um sorriso animar o rosto de sua bem-amada...

A noite começava a cobrir com seu lençol de sombras o campo de batalha. Os três ingleses, atados e amordaçados, jaziam sobre o campo.

Uma canção embalou o silêncio da planície. Eram os trabalhadores de Neuvillette que voltavam para casa.

Lupin levantou-se. Escutou as vozes monótonas, contemplou a propriedade onde esperara viver pacificamente, ao lado de Raymonde. Depois olhou para ela, pobre apaixonada, que o amor havia matado. Dormia, toda branca, o sono eterno.

Os camponeses estavam se aproximando. Lupin então inclinou-se, tomou a falecida nos braços, levantou-a de um só movimento e, inclinando-se para a frente, carregou-a nas costas.

— Vamos, Victoire.
— Vamos, meu filho.
— Adeus, Beautrelet — disse ele.

Carregando seu terrível e precioso fardo, seguido pela velha ama, silencioso e feroz, partiu para o lado do mar, mergulhando nas sombras profundas.